颜亦鲁先生

颜亦鲁先生在练剑

疾病是错综複杂变化多
端，有虚中夹实，实中寓虚，有大
实如羸状，至虚有盛候。治法有
正治从治，从阴引阳，从阳引阴，上
病下取，下病上取等等。所录医案
还不能包括以上这些病情及治
法，同时应与病者联系，希望今后
进一步钻研，不断充实提高，以
期将来遇到複杂病情时能应
付裕如，左右逢源。至于所写作
会当有可观　颜亦鲁

6.5

颜亦鲁先生手书

罗

六月十三日

湿温良友微寒壮热，有汗不解，胸闷作
呕，口渴，溲赤，便结，腹隐痛，脉濡数，舌苔
厚腻。湿热与食积滞未化，拟小承气合三
仁汤主之。

上川朴一钱　白蔻仁八分　广藿佩各一钱
生川军（后下）一钱　杏苡仁各三钱　炒延胡钱半
炒枳实一钱　制半夏一钱　赤苓三钱
飞滑石四钱　淡竹叶四片

颜亦鲁先生脉案

颜亦鲁

海派颜氏内科秘录

诊余集

颜乾麟◎主编
韩天雄　颜乾珍◎副主编

北京科学技术出版社

图书在版编目（CIP）数据

颜亦鲁诊余集/颜乾麟主编. —北京：北京科学技术出版社，2017. 1

ISBN 978 - 7 - 5304 - 8572 - 9

Ⅰ. ①颜…　Ⅱ. ①颜…　Ⅲ. ①中医临床 - 经验 - 中国 - 现代　Ⅳ. ①R249. 7

中国版本图书馆 CIP 数据核字（2016）第 207424 号

颜亦鲁诊余集

主　　编： 颜乾麟
策划编辑： 白世敬
责任编辑： 严　丹　张晓雪
责任校对： 贾　荣
责任印制： 李　茗
封面设计： 异一设计
出 版 人： 曾庆宇
出版发行： 北京科学技术出版社
社　　址： 北京西直门南大街 16 号
邮政编码： 100035
电话传真： 0086 - 10 - 66135495（总编室）
0086 - 10 - 66113227（发行部）　0086 - 10 - 66161952（发行部传真）
电子信箱： bjkj@ bjkjpress. com
网　　址： www. bkydw. cn
经　　销： 新华书店
印　　刷： 北京捷迅佳彩印刷有限公司
开　　本： 880mm × 1230mm　1/32
字　　数： 89 千字
印　　张： 5. 375
版　　次： 2017 年 1 月第 1 版
印　　次： 2017 年 1 月第 1 次印刷
ISBN 978 - 7 - 5304 - 8572 - 9/R · 2160

定　　价：29. 00 元

编 委 会

顾　　问　颜德馨

主　　编　颜乾麟

副主编　韩天雄　颜乾珍

编　　委　（以姓氏笔画为序）

王　杨　刘　珺　梁　琦

韩天雄　路秀春　颜　新

颜乾珍　颜乾麟　颜琼枝

序　言

幼承庭训二三事

——纪念恩师慈父述怀

我家是复圣颜回后裔，祖籍山东曲阜，后南迁至江苏丹阳，书香门第，重视教育。先父亦鲁公辞世已十七年，今年是他诞辰一百一十周年，而我作为他的长子也已到了耄耋之年，不禁感慨岁月之流逝。父亲既是慈父，也是严师，早年的庭训，虽已非常遥远，但记忆还是那样真切。

我七岁开始读书写字，父亲时常教诲督导，印象最深的是在大冬天练字不辍。室外冰天雪地，室内我也冻得手脚冰凉。当时一边磨墨，一边写字，砚台上的墨汁随磨随冻，父亲说："执笔书写的腕力，只有经过这样才能练成。"经过父亲的督训，我九岁那年入读白云街鸣凤小学，竟然还在书法比赛中获得了第一名，而且练字修身的习惯保持至今，这使我不能不怀念父亲当年的教诲。

父亲对子女的教育很重视，也很严格。我记得他经常在大庭中训诫，以至于我甚至有些害怕经过大庭。后来学习四书五经，我了解到当年孔子教育他的儿子孔鲤留下的"庭训"的典故。感叹父亲真是遵循传统课徒教子。当然，父亲教育子女不仅严格，也注重传授读书的方法。他说读书要"猛火煮，慢火炖"。猛火煮，就是强调要博览群书，把学习中医经典著作和历代名医著作作为学医入门的途径，通过泛读强记，打好理论基础的根底。任何学问初涉时必须默背强记，然后再反刍，再升华；慢火炖，就是读书学习一定要独立思考，反复研习，决不能生吞活剥，食而不化，光博览群书还不够，还必须深思苦悟，才能有所收获。这六个字对我的读书经历影响很大，后来我也以此教育我的子女和学生。

回忆早年学医的情景，我十三岁那年父亲即命诵读《黄帝内经》，并延请杨锡甫老师（曾任丹阳县教育局长）督我每日背诵一章。《黄帝内经》文字古奥，而杨老师亦很严格，若背不出，还用木尺打手心作为惩罚。小时的童子功，日后自然受益无穷，对我的临床运用和发挥及对中医的信念都很有裨益。可最初是颇有些畏难情绪的，但渐渐地，随着跟父亲临证抄方，我对中医的感情慢慢发生了变化，特别是当时有两件事对我触动很大。有一次，一位无锡的农民，在我家门口被车子轧伤，大量出血，父亲在他伤口上敷上一把“铁扇散”，血顿时止住了。正巧《无锡日报》的记者当时也在场，随即予以报道。还有一次，父亲治疗一位患者背上的阴疽，它高高隆起，漫肿无头，并且患者发着高热。父亲拿出三棱针烧红后直刺患处，脓水若喷，其苦顿失。父亲以治内科、妇科出名，没想到他对外科也颇有研究。上述两个案例，由于有立竿见影之效，故印象很深。其实平日门诊所见中医的疗效都是很不错的。行医能够解除患者的痛苦，看到患者的喜悦，自己的心里也很开心。就这样，我开始决心学医，要像父亲那样，做一个医术高明的医生。

这些事都已过去了七十多年，但它们和父亲的形象一样都永远地留在了我的记忆里。现在略抒心声，既是对父亲的怀念，同时也希望对后学有益。

颜德馨

2006 年

前　言

颜亦鲁（1897～1989），号餐芝，丹阳人，祖籍山东曲阜，先贤复圣颜子后裔。初受业于乡中鸿儒林墨舫、吕文英，薪传舅家名医魏东莱。1912年投帖城内名中医马培之的高徒贺季衡门下，九易寒暑，勤学中医医术，尽得其传。1921年悬壶于丹阳城北草巷。其时疫病盛发，他即以中药论治，对生活清贫者，分文不收，使患者及早康复，因而医名远扬。新中国成立后，被选为丹阳县第一、二届人民代表。1956年，奉命调南京，先后任江苏省中医院内科主任、江苏医学院中医科主任、江苏省肿瘤防治研究所中医科主任，并获得主任医师专业技术职称。颜亦鲁曾先后当选为江苏省第三、四、五届人民代表及主席团成员，江苏省中医学会第一、二、三届理事，中华医学会南京分会顾问。

颜亦鲁先生行医60余载，为人诚恳宽厚，态度和蔼可亲，被群众誉为“忠厚长者”，擅长治疗内科、儿科、妇科疾病，擅于使用中药“茅白术”，被医学界、药学界誉为“茅术先生”。他先后发表学术论文“漫谈吐血、便血、衄血”“治疗肿胀的经验”“治疗黄疸的经验”“脾胃学说的临床应用”“治疗温病的经验”“治疗胃病的经验”“肺炎治疗3则”“加味定痫汤治疗子痫”等；著有《餐芝轩医集》。他将一生精力付诸中医事业，数十年来，不仅治愈了大量内科、外科、妇科疑难杂症，还积极培养了不少优秀的医务人员，入门弟子达数十人之多，为发展中医事业做出了积极贡献。

本书分学术精华、临证补遗、颜氏医案、《丹方集》遗稿四章，材料翔实，内容丰富，可供中医临床工作者及广大中医药爱好者参考。

编　者

2015年8月

编写说明

（1）本书来源于颜亦鲁先生的学生张宗良整理的手抄本，曾经内部刊行，颇受中医界同仁好评。

（2）为了让读者全面了解颜亦鲁先生的生平及学术思想，我们在原书的基础上加入“学术精华”。在书前加入前言，简明介绍颜亦鲁先生的从医经历，并将颜德馨教授2006年书写的纪念文章“幼承庭训二三事——纪念恩师慈父述怀”代作序言。

（3）第二章“临证补遗”补充了颜亦鲁先生的学生束樵仙整理的医话，并根据医话的内容，分为“临证经验”与“方药心得”两部分，便于读者阅读。

（4）第三章“颜氏医案”根据原书医案内容，做了一些先后次序的调整，将其分为喉科类、外科类、内科类、胎前类、产后类等。

（5）由于原书对喉科、外科医案均没有做点评分析，故而我们分别加入按语，讨论颜亦鲁先生对喉科、外科疾病的认识，及其诊治思路和用药经验，供读者参考。为了便于区别，凡新加入的按语均注明“乾麟按”，而原书的按语不改动。

（6）原书中内科类个别病种病案数较少，很难反映出颜亦鲁先生的诊治经验，为此我们在其学生束樵仙、朱国荣手抄整理的《颜氏医案》中选出数则补充于书内，以便读者对颜亦鲁先生的学术特色能全面了解。

（7）第四章“《丹方集》遗稿”来源于颜亦鲁先生生前整理的《丹方集》一书，该书迄今尚未正式发表，其中不少验方经颜氏三代临床应用，均有效果，故而将其补充于书内。

（8）为不影响原书内容的准确性，避免因换算造成的人为错误，书中部分旧制的药名、病名、医学术语、计量单位等均未改动，保留了原貌。其中，计量单位的换算关系如下。“一两”等于30g，“一钱”等于3g，“一分”等于0.3g，“一厘”等于0.03g，“一寸”等于3.33cm。

（9）本书的编写得到了“上海市进一步加快中医药事业发展三年行动计划”之“海派中医颜氏内科流派传承研究基地”项目的支持。

目录

第一章　学术精华

一、脾胃为后天之本，亦为诸病之源

颜亦鲁先生推崇李东垣“脾胃不足为百病之始”“大抵脾胃虚弱，阳气不能生长，是春夏之令不行，五脏之气不生”之说，认为脾胃健运则元气充足，正气内存，邪不能独伤人。反之，脾胃有病，则波及诸脏，如肝脾不和、心脾郁结、肺脾两虚、脾肾阳虚等，同时也会通过诸脏所主的九窍反映出来。故《素问·通评虚实论》谓：“头痛耳鸣，九窍不利，肠胃之所生也。”《灵枢·口问》篇谓：“中气不足，溲便为之变。”可见脾胃不足可导致他脏病变及体表疾病。故颜亦鲁先生在诊治内科、外科、妇科、儿科、喉科疾病时常求之于脾胃，曾谓：“人可以参天地之干者，莫贵于眠食正常，能食能眠关键在于脾胃。”脾属湿土，喜燥恶湿，得阳始运，宜升则健，辛温升阳其治在脾；胃属阳土，喜润恶燥，得阴始安，宜降则和，甘凉濡润其治在胃。升清降浊，调理脾胃，使气机通畅是脾胃论治的总原则。临床常用的配伍方法如下。①健脾燥湿法。用于脾虚湿阻证，如慢性肠炎、痛风、高脂血症、妇女盆腔炎等，常用方剂如四君子汤合平胃散。②健脾化痰法。用于脾虚痰滞证，如慢性气管炎、脂肪肝、冠心病、癫痫等，常用方剂如四君子汤合二陈汤。③健脾和胃法。用于脾胃虚弱、气机不畅证，如慢性胃炎、慢性肝炎等，常用方剂如香砂六君子汤、归芍六君汤。④疏肝和胃法。用于肝气郁结、克伐脾胃证，如慢性胆囊炎、更年期综合征等，常用方剂如柴胡疏肝饮、逍遥散。⑤滋养胃阴法。用于胃阴不足、虚火上亢证，如心肌炎、高血压、脑动脉硬化等。⑥温中健脾法。用于脾阳不足、湿浊内阻证，如慢性肾炎、小儿消化不良等，常用方剂如附子理中汤、实脾饮。⑦升阳补脾法。用于脾气不足、清阳不升证，如心功能不全、脑梗死等，常用方剂如补中益气汤、调中益气汤。

用药上颜亦鲁先生擅长使用苍、白二术，认为苍、白二术燥湿运脾，湿去脾自健，脾健湿自化，用途广而用法多。如湿温脾痺者，用苍术煎汤代茶；气虚夹湿者，苍术与黄芪并用；湿热并重、伤及胃阴者，苍术与石斛、麦冬、玄参相使；肝阴挟湿、目昏便燥者，苍术合黑芝麻拌炒；痰湿眩晕者，白术、茯苓相配；气虚吐血者，用大剂量白术煎汤频服；久痢不止者，白术、扁豆、糯米同煮粥饮等。在治疗各类虚劳疾病中，常在补益方中加入苍、白二术，既利于补药吸收，又可促进生化之源，有一举两得之功。

二、气机升降出入，脾胃为其枢纽

《素问·六微旨大论》谓：“出入废则神机化灭，升降息则气立孤危，故非出入则无以生长壮老已，非升降则无以生长化收藏。”是以升降出入，无器不有。颜亦鲁先生推崇李东垣“圣人治病，必本四时升降浮沉之理”之说，认为升降出入是人体气机运动的基本形式，各脏腑的生理功能得以正常运行，有赖于气机的正常运行，而脾胃为脏腑气机升降出入的枢纽，认为脾胃同居中焦，升降不息，脾以升为健，以运为和，胃以降为健，以通为和。脾用宜升，胃用宜降。脾升，胃气方能和降通畅，糟粕得以下行；胃降，脾气方能升清不息，水谷精微得以四布。正是脾胃升降相因，气血津液通畅，脏腑安和，才能使机体处于健康状态。若脾胃气机升降失常，出入无序，升者不升，降者不降，纳而不入，运而不行，诸病随之而生。故《素问·阴阳应象大论》谓：“清气在下，则生飧泄；浊气在上，则生䐜胀。”颜亦鲁先生临床习用枳术丸、补中益气汤等升清降浊，治疗内伤杂病。枳术丸为张洁古所制，取枳实一两，麸炒黄为度，白术二两，只此二味，荷叶裹，烧饭如丸如绿豆大，每服五六十丸，清米汤下，此法取荷叶升清，枳实降浊，白术健运脾胃，一升一降一运，使饮食缓化，不令其伤。李东垣加陈皮一两，名枳术橘丸，治老幼元气衰弱，饮食少进，久服令人多食而不伤。颜亦鲁先生生前极为赏识枳术丸的功效，曾谓其有“君子在堂，小人不得入内”之效。

三、木动必犯土，治胃先治肝

颜亦鲁先生曾谓：“肺主一身之表，肝主一身之里，六淫之感皆从肺入，七情之病必由肝起，肝为万病之贼。”脾主运化而升，胃主受纳而降，两者共同行使受纳、消化吸收功能，但也需肝之疏泄配合，才能升降有序。肝气不和，首犯脾胃，故颜亦鲁先生主张：“木动必犯土，治胃先治肝。”肝气不和有太过与不及之分，肝气太过谓肝气横逆，肝气不及谓肝气郁结，二者都会乘克脾胃，但表现不一。肝气犯胃症见胸胁乳房胀痛，胸闷不适，胃脘胀痛，食之尤甚，泛恶吐酸，嗳气为快，伴有心烦易怒等；肝郁滞脾可见腹痛泄泻，泻后痛缓，大便溏薄，纳谷不馨，伴有郁郁寡欢，时喜太息等。肝气横逆犯胃，胃脘胀痛，每取左金丸泻肝和胃，甚则取越桃散出入治之。颜亦鲁先生谓："古方治年久胃痛多以山栀为向导，旨意深远，民间单方治年久胃痛渐有热象者，用生山栀十五只，连壳炒焦，与川芎三克，生姜汁五滴，水煎服，临床用之能使胃痛迅速缓解。"肝气郁结犯脾，腹痛而泻，则多取痛泻要方出入培土抑木，升清降浊。曾治刘某，呕吐腹痛，便泻频频，脉细滑，舌淡苔薄，证为肝木犯土，药用旋覆花、白豆蔻、青皮、陈皮、公丁香、六和曲、茯苓、广木香、左金丸、吴茱萸伴炒白芍、姜半夏、生姜、红枣等，药后吐止泻停，腹痛消失。

四、痰湿为患，理气为先

脾胃与痰湿的形成关系密切。脾胃功能失调，水液代谢障碍，津液停聚凝结，质地稠厚为痰，清而稀薄为湿。颜亦鲁先生认为湿痰为患，上至巅顶，下至涌泉，随气升降，周身内外皆到，五脏六腑俱有。其为病症状不一，为咳，为喘，为呕，为泄，为眩晕，为怔忡，为胸痞，为脘胀，为腹痛，为癃闭，未有不由痰湿所致。治疗痰湿之法，必健脾胃。健脾和胃之法，首在调理脾胃气机。南宋严用和《济生方》谓：“人之气道贵乎顺，顺则津液流通，决无痰饮之患。”马培之谓：“脾失健运，水谷精微悉归痰饮。”为此，颜亦鲁先生诊治外感内伤以及喉科、外科诸病时，凡有痰湿之邪，必佐理气健脾之药，外感发热夹有湿邪者，每佐四磨汤，药用青皮、枳实、槟榔、沉香，开水磨汁，用煎剂过口先下；内伤痰湿为患者，则佐以枳术丸、平胃散之类，以健脾理气，有事半功倍之效。喉科痰火甚者，每佐杏仁、桔梗、陈皮于清解方中以调气化痰；外科湿热内发者，则辅以赤苓、白术、薏苡仁、泽泻等清化湿热。曾治戴某，女性，乳癌术后，腹胀成鼓，小溲涩少，大便干结，不能进食，食入即吐，痛苦莫可名状，脉弦而紧，舌淡苔白。此为水湿与气滞相搏之证，药用白术、枳壳、商陆、大腹皮、猪苓、茯苓、车前子、将军干、蝼蛄、煨黑丑、沉香等，三帖后，二便畅通，腹胀大减，其他症状亦见好转，病势十去其六，改用丸剂缓图。

五、胎产病宜大补气血

颜亦鲁先生对胎产病主张大补气血，如治难产，临产之际，亦当着眼于气血。气足则易于送胎出门，血足则利于滑胎蒂落。故难产之证，不宜强攻，只宜大补气血，增水行舟。又如死胎，盖胎死腹中，产妇气血必受耗损，若急攻之，则犯虚虚之戒而速其危，唯有大补气血，以补为泻，方能确保平安。内服方用熟地、炙黄芪、枸杞子、当归身、杜仲、茯神、白芍等；另用大剂量四物汤氤氲其间。对于堕胎，他认为胎之生长，全赖气血养之。若气虚不足以提摄，血虚不足以涵濡，则胎自落。保胎之法，则宜大补气血。胎热不明显者，宜用加味八珍汤，于怀胎后每月服五至七剂；兼有胎热者，则宜用安胎膏，怀胎后每日一匙冲服，连服数月。流产有缘于气血不足者，亦有缘于胎热而迫血妄行者。常用之方有二。①加味八珍汤。适用于气血两亏之流产。熟地一两，白芍三钱，当归三钱，川芎八分，党参五钱，茯苓三钱，白术四钱，炙甘草一钱半，苎麻根一两，糯米一两，莲子肉一两，煎服两汁，每月服七帖，直至临产。②安胎膏。适宜于胎火旺盛者。生地十两，白芍三两，当归三两，川芎八钱，党参五两，茯苓三两，白术五两，黄芩十两，鲜藕三钱，共煎浓汁，加蜜一斤收膏，日服两次，每次一匙，开水冲饮。如治何氏妇，每孕三月左右即堕，已得数胎而数失，屡治不效。兹复孕二月求诊，初按素体不足、冲任不固例先投“加味八珍汤”养其气血，至五月时有胎热症状，即服“安胎膏”凉血清热，热清血安，胎元得养，足月产一男，母子平安。临床辨证，虚者用第一方，热者用第二方，必要时二方并用。至于产妇在生产时也需以调补气血为主，气足则胎顺，血足则胎利。自拟临产膏方，服之能减少痛苦，以利顺产。药用：党参一两，当归一两，川芎八钱，黄芪一两，白芍一两，炙甘草六钱，桂圆肉八钱，熟地一两，生姜三片，红枣六个，阿胶四钱，艾绒四钱，龟甲一两，茯苓一两，白术一两，川断一两，菟丝子八钱，山药一两，血余炭五钱，枸杞子八钱，牛膝一两。共煎浓汁成膏，临产时以开水冲服，分两次饮毕，功能引产。此方应用数十年，经产妇反映服膏后体力好、痛苦减、产程短，故久用不衰。

六、温病治法大要

颜亦鲁先生精于温病的辨证论治，主张治疗温病早期，当用透法，祛邪外出；中期不忘化湿，多宜辛开苦降；后期必护阴阳正气，以防虚脱。

（一）避寒凝，善用透法

透法不仅为祛散表邪所必需，尚能使内伏之邪外透，不仅用于卫分证，亦适用于气分及营分证，正如叶天士所说："入营犹可透热转气。"每于清热剂中参以辛散之品，治以清透法，根据邪之所在，选用不同方药。如邪在卫分，恶寒发热者，则取薄荷、防风疏表祛邪；邪热闭肺，症见热、渴、咳、喘，多用麻杏石甘汤清肺宣透；邪郁胸膈之心烦懊侬者，以栀子豉汤透热达邪；病至气分，阳明壮热者，方用银翘白虎汤辛凉透泄；热结肠胃而见发热、泄泻，则以葛根芩连汤清肠透邪；病入营分，舌绛苔少或黄苔未净，气分之邪尚未彻清者，善用黑膏方，以生地清营养阴，淡豆豉透邪外出，共奏透热转气之功；病至血分，则于凉血剂中加以青蒿、僵蚕、白薇等凉血透邪，使留伏于阴分之热邪外透而解。

（二）清湿热，必佐辛开

湿热之邪不仅是引起暑湿、湿温的主因，而且在风温、秋温、冬温、温疫中亦时而可见。湿热之邪，非辛不开，非苦不降，故必于清热剂中佐以辛开之品，以开湿壅、通气机。如湿重于热，其舌苔黄白相间，腻而不燥，当取微辛轻苦之品宣畅气机，开泄湿热，常用杏仁、蔻仁、橘皮、桔梗、郁金、菖蒲、薤白之类，方如三仁汤、瓜蒌薤白汤；若热重于湿，则舌苔满布，黄腻而干，当用半夏、厚朴、苍术与黄连、黄芩、山栀配伍，方如连朴饮、半夏泻心汤。为避苦寒抑阳助湿之弊，在应用黄连、山栀等苦寒药时，常与姜汁拌炒，或用生姜为引，以辛开苦降。对湿热气闭者，每以五磨饮法以助运湿，方取沉香、郁金、槟榔、青皮、枳实磨汁冲服，其中用郁金代乌药，以增加其芳香逐秽之力。对湿热蒙蔽心窍，神昏肢厥者，则取少量辟瘟丹、玉枢丹、苏合香丸等以辛开气机，芳香通窍，常可收事半功倍之效。

（三）重阴液，亦重阳气

颜亦鲁先生常以《伤寒论》桂枝龙骨牡蛎汤顾护阳气。若患者虽有高热，但兼面色苍白，汗出不止，舌红转淡，此乃阳气已衰之兆，即取此方合生脉散扶阳护阴；若出现冷汗淋漓、四肢厥逆、呼吸急促、脉微欲绝等亡阳之危象，则以此方合参附汤急救回阳。

七、治学崇尚实效

颜亦鲁先生治学崇尚实效，故不论经方还是时方，均能择善而用，唯效是求，尤对一些时方有独得之秘，举例如下。

（一）二仙丸

二仙丸方出《古今医鉴》，由侧柏叶、当归两味药组成。颜亦鲁先生多年来用该方治疗脱发患者，颇有成效，并将方名易为“生发丸”。具体用法是：侧柏叶四两，当归二两，焙干研末，水泛为丸，日服三钱，淡盐汤送下。若加用侧柏叶洗发则疗效更佳。

按： 头发又名血余，血燥则发焦，该方清血养血故能奏效。侧柏叶历代记述称其能黑润鬓发，善治眉发不生，为君药；当归活血养血为佐药，对脱发初起抓之即落者疗效最佳，若年龄已超过五十岁或已有秃顶端倪者，效果欠佳。

（二）川芎茶调散

川芎茶调散，为治疗外感风邪头痛之常用方，颜亦鲁先生则移治鼻渊，每每奏效，即使顽固病例延绵已达十余年者，投此方亦获效。如曾治纪某，患鼻渊十余载，发作时头痛且晕，甚则无法工作，已用多种抗生素无明显效果。即投以此方做丸服，每次二钱，每日两次，半月后宿恙告瘥。

（三）神仙解语丹

中风后舌强不言，外无六经之形证，内无便溺之阻隔，颜亦鲁先生每以神仙解语丹治之，颇多应手。神仙解语丹为《证治准绳》方，取白附子、胆南星化痰开窍；天麻、僵蚕、全蝎息风通络；木香辛香醒神；菖蒲、远志引诸药入心；尤妙在用羌活入督脉而贯通百脉，利窍开音，《医学心悟》谓羌活“能治贼风失音不语”；薄荷汤送服，辛凉芳香，清利咽喉，开通声道，具向导之义。如曾治胡某，中风之势已定，唯不能言，即投以别直参、北沙参、菖蒲、牛膝、茯神、竹茹、橘络、远志、豨莶草、川贝母、白蒺藜、天麻，另吞神仙解语丹 9g，五帖后能牙牙学语，十帖即言语如常。

（四）阳和汤

阳和汤是《外科证治全生集》方。王洪绪诋手术及腐蚀等外科法为刽徒，因而创用此方。方由鹿角胶、熟地、白芥子、炮姜、麻黄、肉桂、甘草七味组成。此方寓开于补。颜亦鲁先生传承马培之外科学术经验，善于把中医内科理论与外科诊治相结合，试用本方治疗阴疽确有良效。如曾治李某，女，三十三岁，患腰椎结核，投阳和汤八个月，X线片证实腰椎椎体硬化而痊愈。此外，异病同治，发挥阳和汤和解阴凝之功，灵活运用。治疗内科顽症也见良效，如治痹证风寒湿偏胜者、寒性哮喘、冠心病心率迟缓等，皆有效果。如曾治张某，女，三十八岁，四肢关节疼痛数年，天冷则作，发作时全身怕冷，犹以下肢形寒明显，予服阳和汤十四帖而见愈。又如曾治刘某，支气管哮喘，每年冬季皆发作，咳喘、痰稀量多、舌淡苔白、脉弦滑，经用此方二十余帖，年余未作。

第二章 临证补遗

一、临证经验

（一）风温

酒子芩为风温退热要药，如有发痦疹嫌疑则用牛蒡、连翘或加荆芥、蝉衣，总之，发痦疹银翘散不可少，若至化燥则脉必弦数，用药则以石斛、生地为君，再麻黄石膏汤、牛黄清心丸。

程童，风温日久，烦扰苔白，贺师用石斛、芦根。因其诊断谓将化燥，不必苔黄即化燥矣，不意两日后痰鸣气涌，又呈危象，经服生姜汁两匙，而痰减气平，足见用药温凉先后次序丝毫不容紊乱也。

孙左，风温发热，胁痛，咳呛，舌干将化燥状，用石斛、豆豉不效，用麻黄、芦根一剂而汗畅热退。

张女，病初失表，进紫雪丹、羚羊角、黄连、大黄，肺急气粗，声如拉锯，壮热无汗，用麻黄、石膏、豆豉、通草、酒芩、桔梗、薄荷、杏仁、滑石、芦根一剂，喘平热减。继用前胡、苏梗、马兜铃、杏仁而愈。但此症如再用麻黄则有汗出不止之虑。

（二）暑温

暑必挟湿，用药必挟运气宣中，用川连必挟川朴，因口甜胸闷也。如有发痘疹嫌疑，可用牛蒡、蝉衣，否则可用半夏、神曲，若斑疹发后复下利烦扰，当用升麻。

张左，发热无汗不定，胸痞耳聋，先服豆豉、葛根二剂不退，后服柴胡八分、桂枝一钱半一剂得汗而愈。

朱君，时邪一月，壮热口秽，面浮，投连翘、芦根一剂而退。

（三）霍乱

阴甚格阳，于热剂中加童便、寒药以为引，使得入阴以回阳也，葱白以通阳，姜附以散寒也。

娄左，年近花甲，患霍乱，延至四肢清冷，牙关强紧，用熟附片三钱、肉桂五钱、炮姜五钱、甘草五钱加味转危为安，后大渴引饮，用鲜莲子大量饮之而愈。

（四）秋燥

秋燥则清燥救肺汤为君，如桑叶、石膏、沙参、麦冬、芝麻、枇杷叶、甘草，此乃专治秋燥干咳以致肺痿者。

言左，温病化燥，四肢清冷，舌苔灰黑，牙关强紧，用至宝丹两粒开水化服，渐有转机，后用鲜生地二两、生石膏一两五钱、鲜金汁三钱加味，转危为安。

老妪，病经一月，两旬不进饮食，有用表者，有用化者，余用大黄、芒硝，众人伸舌，先服半剂未泻，继进全剂，竟得畅利而愈。

（五）发热

贺某，入夜发热，及晨而退，舌红无苔，有进白薇、鳖甲未退，余从伏邪为痰滞所困立法，用栀豉汤加味两剂，热退，舌稍起苔。

（六）痢疾

赤白痢，赤色多则属热，白色多则属寒。古人称痢谓滞，故无止法，此指初起言也。胃有病则现胸闷呕恶，如痢久则脉象忌滑大，因正气伤也，若赤色多或暑热重则宜用金银花、赤芍。

大凡初痢宜通，久痢宜涩，若休息痢过久则以人参养荣汤、补中益气汤主之。若舌苔不厚，可用焦白术，另用鸦胆子去壳放入桂圆肉内，每服七粒，饮食前服之。

木火冲胃则有呕恶，噤口痢呕恶难免，痢久则忌呕，因胃败也，先用东洋参土炒为君进之。疫痢小儿居多，五谷虫治伤食毒痢，清热健胃，为小儿疳积要药。

（七）水泄

水泄与痢不同，当以利水为主，如泽泻、车前草，口渴则加滑石，身热用藿梗，有葛根也可，舌红壮热可用西瓜翠衣为引，六一散、荠菜花水泄不可缺，因能通小便止泄利也。

（八）下利

下利之人，或久利或虚利，两脉最忌滑大，虽沉细无精神，皆可保无忧。

（九）肛旁热痛

某女士肛旁热痛，不耐久坐，如厕更痛，甚则寒热，神衰气颓，后用李东垣升清降浊法两剂而安，方为当归、升麻、牛膝、白芍、川楝子、细生地、川萆薢、肉苁蓉、皂角子、甘草等。

（十）急慢惊风

急惊属实，慢惊属虚，如琥珀抱龙丸、玉枢丹、牛黄清心丸皆可随证施用。如此证遇无力脉可用羚羊角、薄荷、桑叶、石决明、生竹茹之类；若此证手足颤振，宜卧之地上，因土气能泻热息风，又能植木培水也；至于慢惊风则用古方逐寒荡惊汤、加味理中地黄丸，有起死回生之效，即使气血大亏，形状狼狈，瘦弱至极，皆可挽回。

（十一）白喉、喉痧

白喉忌表，误汗则危；喉痧应表，有汗则生。白喉治法，滋阴退热为其法，此证不可忘“阴虚”二字，如微汗少用薄荷与石斛，总之以生地、麦冬、元参、石斛为主药，如两脉洪大，舌红绛，气粉，大渴，满口白腐，犀角、银翘可用。如白喉挟有时邪，外感或寒或热亦当疏解，不得拘泥滋阴，昔贺师治一喉痧小儿延至正虚邪恋，用西沙参、豆豉一剂即神振热减。若舌苔碎起纹裂，胸闷泛恶，则不可用犀角，先用玉枢丹代之为妥。

（十二）双蛾

东君，双蛾常发，有一次甚重，服生军、元明粉，一泻而退。

（十三）喉风

小儿喉风，声为拽锯，袁小庵用鲜松毛杵汁灌服，颇具神效。

（十四）痄痰

小儿痄痰，壮热惊痫，用李树叶一斤煎汤神效。

（十五）温疟

谭某，病温疟，但热不寒，烦躁谵语，舌苔糙黄，时索梨藕，本可用白虎汤清肺金泻胃火，因左脉不起，右脉沉伏，故用薄荷、石斛、豆豉、姜皮、梨皮，服后安神，吐去黏痰，热势徐平，病亦渐退。

（十六）头痛

头痛有痰者，用天麻白术汤或莱菔子、僵蚕，有肥体而肾水亏则宜滋水抑木。如痰体宜用竹沥半夏，进一步加天麻。外治法：生军末三钱，黄丹三钱，用鸡子清调贴两太阳穴。又如痰厥头风外治法，莱菔子一两、生明矾三两研末，用鸡子清调敷成饼，贴于两太阳穴。

姜左，体丰气虚，头痛多汗，外寒内热，用桑菊饮加味不效且头痛更剧，后用滋水柔肝大剂生阴抑木，头痛止，寒热清，方用大生地、牡蛎、阿胶、麦冬、龙齿、天麻、鸡子黄之类。

邱某，头痛诸药不效，无意中咯出如豆腐渣一块，腥臭异常，头痛遂止，可见头痛一证多由痰浊为患也。

头痛有虚有实，水亏木旺者，宜益水泻火，徒泻火不添水，火易上逆也。

（十七）脘痛

脘痛原因有虚有实，实者宜用四磨，虚者宜用参芪，妇人用香附、乌药，如有挟痰，用佛手最妥。若脘痛脉涩，非瘀即痰。痰者每用瓦楞子研末服效。

孙君，痰饮后转为脘痛，百药不效，唯用瓦楞子研末立止。

葛君，始而脘痛彻背，服苍术、川朴加用五积散猝然呕吐紫血甚多，转用当归须、白芍、瓦楞子、旋覆花等而血方止，脘痛仍延绵年余方愈。可见脘痛之人，失血者多因其瘀积经络也。

（十八）痛风

痛风如因风寒当用苍术、川草乌，如有寒热加大豆卷或柴胡，痛甚者用乳香、没药。因风寒湿，脉必不弦，痛极则脉亦虚弦，夫弦脉乃肝旺见证，如痛且麻可加蚕沙、净橘络。

痛风当分新久，新痛属寒，久痛属热，寒宜辛温，热宜清凉。刘河间所谓暴痛非热，久痛非寒是也。大法以顺气清痰、洩风散湿、养血祛瘀为主。

（十九）肩痛

贺师治一肩背痛者，百药不效，读《黄帝内经》至肺虚则肩背痛这一语，触动灵机，转用西洋参、紫菀、川贝、款冬花、枇杷叶、天冬、麦冬而愈。

（二十）臂痛

有左右臂酸痛日久，百药不效，后转念此证老年气虚血不养筋，用外治法，如当归、老生姜同杵，糊泥以布袋盛贮，敷于痛处，未及一周其痛若失。

（二十一）足痛

邹妇，两足久痛，皮外无色，兼之脘腹撑痛，饮烧酒两杯而止。

李女，疟后左足趾火燎作痛，诸药不效，越若干日来复诊。转辗思维，断定疟邪未退，汗未至足，转用柴胡、当归而愈。

胡君，跌仆伤足，闻微声则痛，能站立不能举步，此乃血瘀集于骨髓，脉血为之呆滞也。用松毛和童便杵糊为饼，贴于伤处，其痛若失。

（二十二）中风

中风证服凉药者多，温药少，手足紧握且有力，此肝风也，可用柔降法。甘菊为中风不可少之药，中风必用中风牛黄丸。若口张手软，弛纵不收，则为气虚，宜大补气血。

（二十三）癃闭

董左，咳喘定后，小水不通，服金匮肾气丸不效，贺师用西洋参，琥珀开上而通下。

彭某，先发寒热，后睾丸作痛，小水三日不通，用莴苣根捣烂敷不效，改用豆豉四钱，黑山栀三钱，研末加葱盐捣烂为饼，贴于脐下关元穴，内服滋肾丸四钱，二时后小便畅通。

西门翟君着人持请函来，谓内人病重，望速来救命，余亟驱车前往，见病妇身胖，老衣已穿好，后事皆备，诊脉沉伏，舌苔白腻，气息奄奄，腹部膨满，二便秘结，证系伏暑挟瘀滞交结肠胃，三焦不通，遂用玉枢丹一钱先磨服，方用川朴、肉桂、桃仁诸温化之品，翌日，复诊，神智已清，大腑未通，原方加生军，当夜腑通，诸患悉平。西门张医见此两方，大为惊服，连称：“此药余绝不敢下手。”而翟某看妻病退，逢凶化吉，连磕头谢恩云。

（二十四）遗尿

妇人胎前产后遗尿不知时，每易误认气虚下陷，不知热甚郁结，神无所依，亦有不能收禁之象，《备急千金要方》、白薇散即治此证之主方也。

（二十五）小水热急

绒头绳治小水热急者甚效，或为药引亦可，此系蒸笼所系之绳，盖取其上蒸之气，以治气虚下坠之意耳。

（二十六）溲黑

吕君，小溲出如墨汁，用六味地黄汤不效，用石膏、芦根而愈。

（二十七）目垂

周妇，右目紧垂，不能睁视，黑珠呆而不动，胸嘈善饥，先用生石决明、生地，后加牡丹皮、石斛、薄荷数剂，嘈退，目睁亦活动，与左目等耳。

（二十八）牙痛

牙痛不外虚火、风火、蛀牙，虚则补之，实则泻之，虫蛀则去之，不二法门也，古方玉女煎（石膏、熟地、知母、麦冬、牛膝）治阴虚胃火齿痛最效。一人牙痛，选用玉女煎不效，贺师照原方加牛膝盐水炒，进之而效。若因感风者，先用荆芥、防风加辛凉解表之品，肝阳化风则用石决明、牡蛎、白蒺藜，甚则羚羊角进之。

（二十九）口糜

夏日有一种暑热口糜，不宜投补，大势无妨，清热六一散最妙，糜自退。

（三十）耳中流脓

耳中流脓，臭不可耐，将鳝鱼尾斩去，滴血于耳中，数次即除根。

（三十一）消渴

上消为口渴，中消为善饥，下消为饮一溲二，上消治肺，中消治胃，下消治肾。

（三十二）不寐

不寐原因甚多，因痰湿者，其脉必弦。马培之云："胃寒则胆热，胆热则失眠。"

李君，久患失眠，诸法不效，后用水火相济法，川连三分，肉桂五分获救。又某经用生脉散而安。

（三十三）脚气

鸡鸣散为脚气要方，海南子为脚气要药。

（三十四）黄疸

阳黄口渴便秘，黄如橘子色，脉实。

阴黄色暗便溏，不渴，生用鲜麦苗有效。

（三十五）肿胀

肿胀化水，分阳水、阴水，口渴、面赤、气粗、便秘为阳，便利、不渴、肿胀为阴。水肿以五皮饮为君，或用开鬼门洁净府法亦可（即麻黄桂枝汤也）。

水有十种，不可治者五。一，唇黑伤肺；二，缺盆平伤心；三，脐出伤脾；四，背平伤肝；五，足下平满伤肾。又谓面肿苍黑，肝败不治；掌肿无纹理，心败不治；腹肿无纹理，肺败不治；阴肿不起，肾败不治。

胡君，面浮足肿腹胀，咳嗽气粗，右脉滑大，用麻黄、葶苈开之，泻之而愈。

吴左，膨胀甚危，诸药不效，以葵花根须煎汤，浓饮之顿利，其病若失。

（三十六）咳喘

王某，肝气横梗，咳喘多痰用莱菔子三钱、罂粟壳三钱煎汁一杯，卧时服下即安，此方取其一开一合，神效非常。张伯卿用熟地五钱也平。

胡某，面浮足肿，胸胀咳嗽气粗，右脉滑大，服麻黄、甜葶苈开之泻之，两剂即平。

（三十七）痰饮

苓桂术甘汤为要药，蔻仁、砂仁、煨姜是要药，仲景把痰饮分二要，外饮治脾，内饮治肾，又云凡饮邪必以温药和之。

吕某，痰饮有年，后两手疲软不能握管，此脾胃之阳大伤，气血不能贯通也，服苓桂术甘汤加丁香、白蔻，仍肿，复诊去甘草，可见甘草虽称国老，于吐剂中殊不相合也。

（三十八）肺炎

肺既发炎，即发热甚，肺主皮毛必有汗，若有汗则可用石膏，此证亦有用苏子、葶苈者，痰多可用射干。

（三十九）痿躄

此证阳虚湿甚者有之，大凡咳久则肺虚，所谓肺热叶焦则不宜燥药劫阴，肺痿必喑哑咽痛，若声哑，足跗肿痛不能履地为痿躄，必有现象。所谓肺热痿躄亦即上损及胃，有用石膏兼桂枝，有单用石膏者，可谓独具慧眼，若此者脉当弦，口当渴，舌当红。若痰多用海蛤粉、橘络，发热加牡丹皮、地骨皮，肝旺加黑料豆、女贞子，梦遗加龟甲。

（四十）遗精

有梦遗精为相火旺，治宜降心火；无梦遗精为肾水亏，宜补肾滋阴；纳呆则黄芪不可用。无梦遗精用固精敛气法，如煅龙骨、五倍子共为末，用十至十二岁童女津液调成丸纳脐中，外以膏药贴之，五日一换，或本人津液亦可。

（四十一）血虚肝旺

夏右，素质阴虚，甲申冬大雪纷飞，冒雪而行，始患鼻衄，紫块累累，用薄荷炭、丹皮炭、藕节炭不效，吾师用大剂滋阴降火如生地、龟甲、阿胶、蒲黄等而止。数月后头巅痛极、恶风，头在被内若一露出则感寒风袭之，谓伊肝阳上升，服石决明、牡蛎、桑叶、杭菊不效，改延周医断定风邪头痛，用炒荆防、细辛、天麻、川芎、白芷等两剂而头痛恶风即止。后近两颧骨处奇痒，用热毛巾摩擦稍愈，吾师谓前用表散，虽合病情，而目下痒却是血虚肝旺，外风引动内风，拟方用当归、黄芪、防风煎汁拌白芍、桂枝尖、生地、白术、云苓、炙甘草、生牡蛎、白蒺藜、煨姜、大枣等。

（四十二）肝厥

本巷刘妇，肝厥延年有二十年，发则闭逆，不省人事，遍体皮肤发胀，必须人手按摩，摩至中足趾尖，得噫气徐徐甫醒，有一次最剧时，药不能入，服羚羊尖、沉香二味，磨汁冲服而效。

（四十三）淋浊

淋浊虽云湿热为患，亦有与痰连者，用半夏、陈皮。如有赤者可用细生地、如便秘脉大则用青麟丸。

（四十四）吐血

凡吐血者，脉必滑大，甚则鼓指。出现脉濡苔白，即表示阳微也。有风燥身必热，《金匮要略》云：“男子脉大为劳，脉虚亦为劳”，又云：“脉大之劳则烦劳，脉虚之劳是情欲致劳”。有吐血气火上冲者，可用童便磨降香一、二分以降之，加入凉血化瘀之品更妥。

某甲，吐血势甚危急，后用真京墨服之即止。嗣后血微，来时用白糖冲服亦可。

薛君，吐血三次，单方遍尝无效，经某医用小儿胎发搓团，炒炭，用陈酒过下立止。

魏君，体质素弱，兼患吐血感染时邪，壮热烦扰，痧发不退，思考再三，用舍本治标法，豆豉三钱、葛根五钱为君，加臣佐诸味，明日得汗，诸恙若失。

姜某，弱冠即患咳嗽咯血，时愈时发，花甲之年，忽患咳喘，请贺师诊治，用天冬、麦冬、川贝、紫苏、款冬花不效，且痰壅气促更甚，即改请诊治，切脉后告病家曰素患咳吐血，虚体因也，刻下肺部痰浊甚重，转为实证矣，治病当因时制宜，滋阴润肺非所宜也，抑且不更助其困乎，无惑乎痰壅气促更甚也，值此时而处方非三子养亲汤无以奏效，方如苏子、莱菔子、白芥子、款冬花、紫菀、杏仁、川贝、白前、枇杷叶、梨汁后，咳喘大平。

（四十五）便血

便血络伤，有湿热在内，初起者当用荆芥炭、地榆炭、侧柏炭、荷叶炭。若用炮姜炭宜加丹皮炭佐之，既凉又制燥。若胎产失调而便血，宜加红枣三个为引。如血分有湿热，则用侧柏叶、荆芥疏风理血，疏风药加以炙炭最妙。

（四十六）尿血

淮牛膝炭为要药，如酒客生薏苡仁宜重用，刺痛则为血淋，当用上血珀研末过口为引。尿血、便血，女贞子、旱莲草为常用之品。周君患尿血服芦根不效，服生石膏一两而愈。

（四十七）狐疝

疝名小肠气，立则下坠，卧则上收。无形为狐之出入无常也，乃厥阴寒邪，吴茱萸等温肝燥湿不可少，属寒者居多，橘核丸可用，如体虚以补中益气汤为君。

（四十八）调经

先期属热，愆期属寒，五灵脂为行血止痛要药；如呕恶可用炮姜或煨姜；经事延绵可用血余炭为引；如血热妄行则以生地炭、丹皮炭、藕节炭为主；腹痛觉胀，断定当有瘀，炮姜挟炙草，分量宜少；怀孕腹痛亦属寒；若白带久可用黄芪、牡蛎；腰痛加牛膝、续断。

（四十九）崩漏不止

崩漏不止，气虚欲脱，用别直参一钱五分，炙黄芪三钱，当归三钱，炙甘草八分，煎服。

（五十）热入血室

经事应期而至，来无大碍。先期来则有热入血室之嫌，耳聋为热入血室之证，温邪化燥必口渴，所以不渴者，因已入血室，血液充沛，反不觉渴也，如腹痛、便秘、舌腻者可用桃仁承气汤，舌绛者可用鲜生地。

（五十一）胎前咳

胎前咳嗽，必用苏子或苏梗，因能利肺散风顺气安胎；如腹部气攻而痛，防其伤胎，可用白芍，能止痛安胎也。

（五十二）小产

将产时脉必弦大，腰部坠痛，无论大小产皆然。一味丹参散，功同四物汤，故小产可用丹参。

一贯小产者之预防法，用黄牛鼻一只，以饭打糊为丸，每服七粒，开水送下，外加服养血归脾药相得益彰。

（五十三）产后发热

生化汤为产后去瘀生新之剂。产后百脉空虚，当以调和气血为主，虽有血证亦然。即有舍本治标法，必产后阴虚而阳无所附者。壮热者忌用表寒药，可用炮姜，因能入肝，引众药生血，挟甘草同用则热自退，屡试屡效。若产后失寐，用灯心草、鲜藕嫌性太凉，不如用莲子为合，有痰可加半夏，脉弦是肝旺之证，脉细数为血虚，产后舌红多汗渐现虚象，则用银柴胡为君最妙。

某妇产后胸膺懊侬，志意不乐，白糖饮汤稍安。

某妇产后神志不清，两手妄动，将鸡蛋置锅内烧汤，加食盐少许，但饮其汤，服后神志即清。

产后烦热脘闷易转火，宜早用甘寒，免生后风。甘温除大热是无上妙法，唯须揭帐门，觉热气熏人有汗者，否则干热无汗用温药，必致发枯而落。

产后有病，首当调和气血，虽有他证，以末治之。

许姓妇临盆，产儿已下，家人以芪元膏喂之，服后即神志不清，语无伦次，不及诊治而死，是亦惨矣。考其理，良缘此膏固气，将恶露敛而上冲所致。

（五十四）产后腹大

本巷何书荣妻产后腹大如未产，初疑有二胎存焉，留稳婆伴宿二夜，未有动静，方服药。用生化汤加味，外用铜茶壶热水抚摩，约三四日而愈。后每产后仍然腹大如昔，已四次，此次因小水不通，加滋肾丸四钱，二诊用归、桃、术、楝、苓、丹参、焦山楂等和荣疏气之属，三日而退。

（五十五）肺痈

劳力者每有挟瘀，须用当归须、丹参、瓦楞、桃仁之类，无瘀则可用陈芥菜露。

（五十六）脑疽

脑疽色红疼痛，金银花不可少，外证茯苓不可缺，初起可用牛蒡、连翘、薏苡仁、羌活之类。

（五十七）搭背

上搭背用温药，亦有用凉药者，须视颜色红白，痛之急缓，分阴阳而别，老年血气亏者患此，必用参芪外托不可。中医治外证，注重胃家，是其特长，即益阳明多气多血之脏，阳明实则气血足，绝无正不胜任之虑，此种外证若是酒客，宜多用生薏苡仁、绿豆皮。

（五十八）肠痈

大黄丹皮汤主方，红藤、败酱草为主药，大凡外证酿痈时，必有寒热，寒热甚用柴胡，痛甚稍加木香，既化脓则脉象当滑数，或大或弦，不可不详察也。

（五十九）风疰

风疰一证，先祖师马培之于《务存精要立医学存真》一书，专论此证，谓最忌针刺，起先法当疏解，如炒荆防、桑叶、杭菊、薄荷、赤芍、白蒺藜、僵蚕、浙贝母、竹茹、双解散等。

（六十）咳嗽发疹

咳嗽、发疹不透，当用开肺气法，能发表又能通腑。

（六十一）久病苔腻

久病胸痞、舌苔腻，不可拘泥于湿，实气弱不克消化，当法东垣，用健脾法，药用党参、白术、干姜等。

（六十二）久病懊侬

久病胸膺懊侬，百药无效，可用百合心煎汤饮之，古本有百合之证，亦可用此。

（六十三）高年虚脱

虚脱不慎而跌仆，乃老年常见之证也，用附子必挟炙草，一可制其刚烈，二可解其毒性，用桂、附亦必挟救阴之品方合病情。如嫌力轻，可用炙黄芪。昔老太师马培之年高得微疾，诸儿进疏解药，越两日，自验舌苔，舌红泛紫，乃大呼速进六味地黄汤，迟则虚脱莫救，后果化险为夷。

（六十四）跌仆闪挫

跌仆闪挫用陈稻草一把，烧灰和大麦粉，冰水调涂伤处，痛可立止。

（六十五）舌诊

舌焦黄，黑如焦饭者，为津劫；舌苔白如漆，为大虚，宜补；舌不论何苔，但有一条条紫筋暴起者，亦大虚之候；

舌中央有裂纹者，为肝气，妇人犯之最多；若舌缩成一团如荔状者，此厥阴重证也；舌红为温病，苔白为伤寒，舌淡唇白为吐血、崩漏诸贫血之症。

（六十六）手心热

有人多食则手心热，是因脾虚胃不健，多食气聚于脾，郁蒸不化，脾主四肢，故手心应之热也，十九味资生丸可服。

二、方药心得

（一）甘蔗汁

程童，发热一月不退，投药不应，服甘蔗汁热清。

（二）葵花根须

贡某，患膨胀甚危，服药未效，后服葵花根须，煎汤浓饮，水道顿利，病遂痊可。

（三）辟瘟丹

辟瘟丹能宽中，虽烦热，只需脉小、苔白，皆可服，因热不下，邪在上也。

（四）神犀丹

神犀丹能表里双解，将化燥时最妥，但须脉数、舌绛方适当。

（五）白术、黄芩

白术、黄芩能保胎清热，牡丹皮胎前酌用。

（六）升麻

斑疹发后，复下利，烦热，当用升麻；痧疹后，无论伏邪透与不透，发生他证，升麻均可用之。有蒋童，痧后患耳根痰肿，硬已将成脓，服升麻五分，两帖而效。

（七）附子、大黄

痢久腹痛，可用附子、大黄温攻之。

（八）珠珀散

珠珀散能治中风、口噤不语，百发百应，同二豆汤合用更妙。珠珀散方为珍珠一分、琥珀四分，研末，菖蒲煎汤调服。二豆汤方为赤豆四十九粒、黑豆四十九粒，煎汤服。

（九）龙虎丸

龙虎丸能泻风痰，治文武痴癫，方用巴豆霜三分，红砒三分（以豆腐煮透），牛黄三分，辰砂一分。

（十）桑叶、牡丹皮

桑叶、牡丹皮同用可代柴胡之功，力较缓和。

（十一）猪血

猪血治便血最效，生者熟食，或切片调羹均可。丹阳泰兴当典屠某便血两年，百药无效，亦用此方而愈。

（十二）川楝子

川楝子经未行前可用，既行后即不宜。

（十三）鲜稻根

鲜稻根治久病正虚有特效。

（十四）荠菜花

荠菜花治小溲沥血，通大小肠。

（十五）葛根、枳椇子

葛根解酒，枳椇子亦解酒，唯葛根发散，治体气壮实之有外感者，枳椇子甘润，治体气虚弱之有内热者。

（十六）冬笋

冬笋功能退肿，以其滑利能化痰通便也。

（十七）小瓜蒌汤

治肝气脘痛单方：小瓜蒌一只，红花七分，炙甘草二钱，水煎服。

（十八）麦苗

麦苗之性，能疏通肝胆，兼能清肝胆之热，故能导引胆汁归小肠也，如患黄疸证，加数钱麦苗于药剂中，也能奏效。然药肆中皆干者，最好能用鲜麦苗，且长至寸余，或当有麦苗时，于服药之外，以麦苗汤当茶亦可。

第三章　颜氏医案

一、喉科类

(1) 殷右，喉痛，肿突势大，引咽作痛，小有寒热，脉小数，苔黄，风燥挟痰火上升，势倾化脓。

薄荷一钱半、牛蒡子三钱、竹沥半夏二钱、僵蚕二钱、连翘三钱、赤芍二钱、桂枝一钱半、浙贝母三钱、射干一钱半、山豆根四钱、竹叶三十片。

(2) 许右，喉痛，红肿势大，牙关强紧，寒热迭作，脉小数，舌苔黄腻。痰火甚旺，拟下夺之。

天花粉四钱、僵蚕二钱、竹沥半夏二钱、连翘三钱、薄荷一钱半（后下）、山豆根四钱、牛蒡子三钱、浙贝母二钱、赤芍二钱、桔梗一钱半、元明粉四钱（冲服）。

(3) 睦右，喉痛自溃，脓水颇多，红肿作痛，呛咳咽痒，胸痞纳呆。肝阳痰火甚重，当以清降。

天花粉三钱、牛蒡子三钱、浙贝母三钱、赤芍三钱、薄荷一钱半（后下）、生竹沥三钱、射干一钱半、桔梗一钱半、连翘三钱、桑叶三钱、佛手花七分、灯心草十根。

(4) 汤右，左耳后水肿势大，根盘渐缩，内外焮痛，呛咳多痰，大腑秘结，脉小数，苔黄。风寒痰湿胶结肺胃所发。

薄荷一钱半（后下）、浙贝母三钱、生甘草八分、瓜蒌五钱、桑叶三钱、马勃一钱、赤芍二钱、牛蒡子三钱、连翘二钱、射干一钱半、山豆根二钱、板蓝根三钱。

（5）汪右，气火喉痹，咽底累累火燎作痛，饮咽不利，脘膺或痛或闷，骨节作响，纳呆，脉弦细，舌红苔黄。肝郁不达，痰气搏结，势无速效。

旋覆花二钱（包）、白芍二钱、白蒺藜四钱、煅石决明一两（先煎）、绿萼梅一钱、郁金二钱、乌梅一钱半、桔梗一钱半、茯神四钱、连翘三钱、佛手二钱、橄榄三个、竹茹一钱半。

（6）王右，气火喉痹，喉部红肿将脓，饮咽不利，寒热迭作，脉小数，舌苔黄腻。风燥痰火上升，势非轻候。

薄荷一钱半（后下）、僵蚕二钱、黄芩一钱半、桔梗一钱半、连翘二钱、浙贝母三钱、牛蒡子三钱、射干一钱半、赤芍二钱、山豆根四钱、竹沥一钱半、元明粉八钱。

（7）朱右，喉癣，咽痛赤肿，兼起紫斑焮痛，间或作痒，头额发麻，胸痞不舒，脉弦细，舌苔黄腻。肝阳挟湿热上升，先当清解。

薄荷一钱半（后下）、赤芍二钱、旋覆花二钱（包）、泽泻二钱、连翘四钱，赤芍四钱、桔梗一钱半、射干一钱半、牛蒡子三钱、炒僵蚕二钱、竹茹一钱半、灯心草十根。

复诊：喉癣紫斑已退，赤肿亦淡，痛痒亦减，胸膺未舒，头额两手发麻，脉弦细，舌苔黄，治再疏化。

天花粉四钱、薄荷一钱半（后下）、僵蚕二钱、连翘三钱、旋覆花二钱（包）、郁金二钱、赤芍二钱、牛蒡子二钱、桔梗一钱半、酒子芩二钱、竹茹一钱半、玉枢丹三分，研末开水冲下。

（8）陈右，烂喉蛾，喉头两旁红肿白腐，饮咽作痛，稍有寒热，大腑秘结，头痛，脉滑数，苔黄，法当清解。

薄荷一钱半（后下）、桔梗一钱半、赤芍二钱、射干一钱半、连翘四钱、竹茹一钱半、天花粉四钱、牛蒡子二钱、浙贝母二钱、僵蚕二钱、黄芩一钱半、灯心草十根。

（9）朱右，双喉蛾，喉肿突有形，饮咽作痛，迭经寒热，呛喉多痰，脉小数，苔黄，风燥痰火上升，不易拔根。

薄荷一钱半（后下）、桑叶二钱、僵蚕二钱、射干一钱半、赤芍二钱、牛蒡子三钱、桔梗一钱半、子芩二钱、浙贝母三钱、连翘三钱、山豆根四钱、竹叶三十片。

（10）胡右，双蛾举发，左畔尤甚，曾行手术两次，出血甚多，肿势仍不退，便溏腹痛，脉弦细，舌红苔白，法当清上和中。

川连八分、桔梗一钱半、赤苓四钱、炙青陈皮一钱半（各）、木香一钱、牛蒡子二钱（炒）、白芍二钱、枳壳一钱半、六和曲四钱、山楂炭三钱、郁金二钱、佛手二钱。

（11）虞右，咽干腐烂，焮痛不已，脉小数，舌红中黄，大有喉疳之害。

鲜生地一两、赤芍二钱、元参二钱、桔梗一钱半、桑叶二钱、竹茹一钱半、天花粉四钱、金银花四钱、浙贝母三钱、马勃一钱、芦根一两、生甘草一钱。

（12）林童，痧后喉疳，咽喉腐白成片，波及蒂丁，龈床舌边腐溃，间或出血，音嘶呛咳气粗，鼻煽，痰鸣声如拉锯，脉数苔黄，证势极险。

桑叶三钱、桔梗一钱半、杏仁三钱、通草二钱、升麻八分、生甘草一钱、知母二钱、山栀二钱、射干一钱半、连翘三钱、竹茹二钱、芦根带须一两。

复诊：诸症未改，脉滑数，苔黄，痧毒熏蒸肺卫，仍在险途。

升麻八分、麦冬三钱、生甘草一钱、杏仁二钱、桔梗一钱半、茯苓二钱、生石膏五钱（先煎）、浙贝母三钱、知母一钱半、连翘三钱、竹茹一钱半、芦根一两。

三诊：进升麻石膏汤，喉疳腐烂大定，仍或寒或热，痰鸣气粗，呛咳鼻煽，痰阻闭逆，脉小数苔黄，证势仍未脱险。

瓜蒌皮四钱、杏仁三钱、浙贝母三钱、知母一钱半、茯苓三钱、桑叶三钱、桔梗一钱半、连翘三钱、枇杷叶三钱、生甘草一钱、猴枣散三分。

（13）童童，舌疳，舌边腐白成片，入夜发热烦扰，脉滑数，舌苔白腻，燥邪湿热蕴结肺胃之候。

川连四分（后下）、牛蒡子三钱（炒）、子芩二钱、天花粉四钱、赤芍四钱、竹叶三十片、薄荷一钱半（后下）、桔梗一钱半、连翘四钱、芦根一两、生甘草一钱。

（14）杨童，痧后舌疳，舌尖腐烂伸不能入，呛咳发热，不能饮咽，脉小数，苔黄，痧毒甚重，延外所致。

川连四分、连翘四钱、浙贝母三钱、桔梗一钱半、茯苓三钱、赤芍二钱、山栀三钱、牛蒡子三钱、升麻八分、竹茹一钱半、生甘草一钱。

（15）某童，牙疳腐烂，流脓不已，呛咳便燥，脉小数，舌红，阳明湿热甚重，亟为清降。

升麻八分、天花粉四钱、牛蒡子三钱（炒）、生甘草一钱、子芩一钱半、桔梗一钱半、生石膏五钱（先煎）、连翘三钱、云苓三钱、赤芍二钱、竹茹一钱半、芦根一两。

（16）冷童，疟后牙疳，舌尖破碎，波及腭上，齿缝流血，两颊车水肿，耳内作痛，脉小数，苔黄，邪伏阳明，势非轻候。

川连四分、升麻八分、桔梗一钱半、牛蒡子二钱（炒）、子芩一钱半、连翘二钱、天花粉四钱、薄荷一钱半（后下）、赤芍四钱、竹叶三十片、生甘草一钱。另，小生地一两，陈酒二两捣烂贴足心，再用银花露洗。

（17）杜童，牙宣龈床腐烂，流血不止挟有紫块，发热有汗，脉滑数，苔黄，燥邪湿热，直犯阳明血络，殊非轻候。

鲜生地一两、赤芍二钱、知母二钱、山栀二钱、芦根一两、生甘草一钱、升麻一分、连翘四钱、子芩二钱、天花粉四钱。

（18）蒋左，牙宣三月，齿缝流血成块，舌上起紫泡，脉滑数，舌红，心阳肝火挟湿热上升，治当清降。

天花粉四钱、生地一两、元参二钱、子芩一钱半、知母二钱、石膏五钱（先煎）、麦冬二钱、赤芍二钱、连翘二钱、竹叶三十片、甘草一钱。

（19）潘童，鹅口疮，满口红肿破腐，上唇腐烂不能吮乳，壮热呛咳，便溏，脉数苔黄，时燥挟痰火，上干肺胃。

天花粉四钱、桔梗一钱半、云苓二钱、连翘三钱、赤芍二钱、金银花四钱、薄荷一钱半（后下）、牛蒡子三钱、浙贝母三钱、子芩二钱、芦根一两、甘草一钱。

（20）岳右，风燥引动肝阳上升，右龈床红肿作痛，防发牙槽痈，清降为先。

薄荷一钱半（后下）、牛蒡子三钱（炒）、连翘三钱、元参二钱、子芩二钱、赤芍四钱、桔梗一钱半、浙贝母二钱、白芷八分、竹茹二钱。

（21）邱右，骨槽痈复发，右边腮结硬肿大，龈床红肿作痛，牙关强紧，势防酿脓痈。

僵蚕三钱、薄荷一钱半（后下）、浙贝母三钱、荆防八分（各）、桔梗一钱半、竹沥半夏二钱、赤芍二钱、白芷八分、桔梗一钱半、橘络六分、连翘四钱、竹茹一钱半。

（22）许右，骨槽风一月，左颊车坚硬，刺溃后脓出不畅，牙关强紧，龈床肿突作痛，寒热不清，脉小数，苔白，风阳挟痰湿交结二阳之络，势属阳胜，法当消坚排脓。

薄荷一钱半（后下）、橘络八分、赤芍二钱、浙贝母二钱、白芷八分、茯苓四钱、连翘三钱、牡丹皮二钱、僵蚕二钱、竹茹一钱半。

（23）骨槽风外溃流脓，余硬不化，牙关强紧，胸膺嘈杂如饥，午后呕恶，痰中挟血，呃逆频频，夜分少寐，脉弦细而滑，舌苔薄黄，痰湿入络，气火犯阳明，当内外兼治。

左金丸五钱（包煎）、茯苓神四钱（各）、山栀二钱、川楝子二钱、旋覆花二钱（包）、白芍二钱、沉香三分、柿蒂三个、橘皮络一钱半（各）、白蒺藜四钱、乌梅一钱半、白蔻一钱（后下）、代赭石四钱（先煎）、竹茹一钱半。

乾麟按：孟河医家马培之善治喉科。先祖父亦鲁公师承马培之的高徒贺季衡，在治疗喉科疾病方面全面继承马培之的学术经验。马培之谓："咽者，胃脘水谷之道路，主纳而不出；喉者，肺脘呼吸之门户，主出而不纳。喉主天气，咽主地气……风寒暑湿燥火之邪，痰热气郁之变，皆得乘之而生喉风、喉闭之证……必须查形观色，审病因，防病变，因证施治……如红而肿痛者，风火痰之实证也，可刺；痛而不肿，色淡不红者，虚火虚痰也，不可刺；肿痛色白者，风与虚热交结也，不可刺；刺亦无血，肿而不痛者，湿与痰也，亦不可刺"，以上均为亦鲁公治疗喉科疾病的原则与方法。

喉科疾病虽有喉蛾、喉痛、喉痈、喉癣、喉疳、牙疳、骨槽风之分，但其发病总由六淫之邪挟痰热气郁所致，故而病邪当以清解为先，实火宜清，治以寒凉，火郁发之，佐以辛散，用药每取马培之的经验方（荆芥、薄荷、牛蒡、连翘）出入，以清凉开闭。根据病情，或辅以山豆根、僵蚕、桔梗以利咽；赤芍以凉血；黄芩以泻火；天花粉、浙贝母、白芷以散结排脓；甚则加元明粉以釜底抽薪。若病日久，邪热伤阴，则须及时配以滋阴生津之品，如鲜生地、玄参之类。

而对牙床腐烂流血，势成牙疳者，则用升麻石膏汤（《杂病源流犀烛》方：升麻、石膏、荆芥、防风、归尾、赤芍、连翘、桔梗、薄荷、黄芩、灯心草、甘草）以清泻阳明热毒，每能奏效。

此外，临床除辨证内服中药外，多配以外治法，习用马培之的喉证秘药，内外同修，效果更佳。

附：喉证秘药组成、制法及用法。

喉证要药，预为修合，陈者愈佳。

黄连、黄芩、黄柏、栀子、黄芪、防风、荆芥、连翘、细辛、白芷、川芎、羌活、独活、山柰、槟榔、苦参、甘草、木通、半夏、川乌、苍术、麻黄、赤芍、升麻、大黄、桔梗、射干、葛根、皂刺、桑皮、牛蒡子、麦冬、杏仁、生地、归尾、天花粉、薄荷、玄参、厚朴、草乌、僵蚕、车前草、金银花、川牛膝、五加皮、山豆根、生天南星、参三七、川槿皮、地骨皮各一分，车前草、骨牌草、金星草、五爪龙草、土牛膝草、紫背天葵草、地丁草各四分。

用新缸一只，清水浸之，日晒夜露四十九日。如遇风雨阴晦之日，用盖盖之。晒露须补足日期。取出滤去渣，铜锅煎之，槐柳枝搅之。煎稠如糊，再加后药。

明雄黄五钱、青礞石（童便煅七次）、乳香（去油）、没药（炙）、熊胆（焙）、龙骨（煅）、血竭、石燕（醋煅七次）、海螵蛸（纸包）、焙炉甘石（童便煅七次）、青黛各五分，枯矾、儿茶各一钱，轻粉黄丹各三分，水飞月石七分，桑枝炭三钱。

上为细末，入煎膏内，和匀，做成小饼，如指头大。晒露七日夜，放地上，以瓦盆盖之。一日翻一次。七日取起，置透风处，阴干，收藏瓦罐内三个月，方可用之。用时为极细末，每饼二分，加后七味。冰片、珍珠、珊瑚各四分，研水飞，麝香二分，犀牛黄二分，轻粉一厘，月石二分为细末和匀，密收小瓶，封口弗令泄气。每以铜吹一个，取药少许，吹患上。咽喉诸证，无不神效。

二、外科类

（1）刘左，风阳肝火引动，湿热上升，头部作痛，颠顶水肿，时寒时热，胸膺痺痛，脉滑数，舌苔浮黄，殊有风疰之患。

桑叶三钱、僵蚕二钱、白蒺藜四钱、赤芍二钱、薄荷八分、连翘四钱、牛蒡子二钱（炒）、菊花一钱、防风一钱、赤苓四钱、鲜姜皮四分、双解散四钱（包）。

（2）风暑挟滞，头部水肿如棉，是风湿也，发热有汗，胸闷气粗，脉小数，苔黄，法当消解，最忌针刺。

薄荷一钱半（后下）、荆芥一钱、六曲四钱、桑皮二钱、杏仁三钱、防风一钱、连翘二钱、射干二钱、枳壳二钱、赤苓四钱、竹茹一钱半、双解散四钱（包）。

（3）夏左，马刀瘰疬坚硬势大，表皮破溃流脂，并不甚痛，曾经寒热，脉小数，苔黄，痰湿凝结经络所致，极难速效。

当归二钱、浙贝母三钱、茯苓四钱、白芍二钱、竹沥半夏二钱、白芷八分、僵蚕二钱、陈皮一钱半、橘络八分、牛蒡子三钱、丝瓜络三钱、山慈菇四钱、海藻二钱、小金丹十粒。

（4）马刀瘰疬坚硬势大，生于右耳，波及颈部，不甚痛或梦遗，脉弦细，带滑，舌苔薄黄，阴虚木旺，肝失条达，气运不和，痰湿凝结经络，势无速效。

南沙参三钱（先煎）、竹沥半夏二钱、川芎八分、茯苓三钱、牡丹皮二钱、赤芍二钱、当归二钱、橘络八分、浙贝母三钱、泽泻二钱、牡蛎五钱、夏枯草五钱、蒲公英三钱、小金丹两粒，每服一粒，开水、酒各半送下。

（5）颧骨疽白，蜂窝脓出不畅，四周木硬，不甚痛，脉小数，舌苔浮黄，积湿本重，当为清托。

南花粉四钱、当归二钱、浙贝母三钱、甘草一钱、薏苡仁五钱、羌活二钱、牛蒡子二钱、赤芍二钱、连翘二钱、金银花四钱、竹茹一钱半、蒲公英三钱。

（6）正脑疳腐烂势大，形为蜂窝，脓出不畅，肿硬作痛，夜不安寐，纳呆食少，脉细数，苔白，酒湿本重，外托为先。

黄芪三钱、泽泻三钱、浙贝母二钱、羌活一钱半、薏苡仁五钱、牛蒡子三钱、甘草二钱、赤芍二钱、金银花四钱、云神四钱、连翘二钱、蒲公英三钱。

（7）偏脑疳肿硬势大，界限不清，溃而少脓，少有寒热，脉滑数，苔白，向日为饮，酒湿本重，清化为先。

柴胡一钱（酒炒）、陈皮一钱半、牛蒡子三钱（炒）、泽泻二钱、赤芍二钱、羌活一钱半、白芷一钱半、浙贝母三钱、薏苡仁五钱、金银花四钱、蒲公英三钱。

（8）蝦蟆肿，左耳下水肿波及耳后，头痛多痰，风燥痰火上升，法当清解。

薄荷一钱半、牛蒡子二钱（炒）、桔梗一钱半、白芷八分、浙贝母二钱、僵蚕二钱、赤芍二钱、茯苓二钱、连翘三钱、竹茹一钱半、双解散四钱（包）。

（9）发际疽结硬作痛，迄今二月，寒热迭作，牙关强紧，脉小数，苔白，风阳挟痰湿交阻所发，难求速效。

柴胡一钱、黄芩二钱、连翘四钱、白芷八分、羌活一钱半、赤芍四钱、薄荷一钱半、牛蒡子三钱、橘络八分、浙贝母三钱、竹茹一钱半、双解散四钱（包）。

（10）满头疽，破溃脓水，红肿结硬，根端散漫，兼寒热，脉小数，舌心浮白，湿热壅结上焦，势非轻候。

当归二钱、牡丹皮二钱、浙贝母二钱、赤芍二钱、羌活一钱半、金银花四钱、桑皮二钱、黄芪三钱、蒲公英三钱、生薏苡仁五钱、生甘草一钱半。

（11）睛明毒，红肿势大，破溃流脓，不能睁眼，鼻流秽涕，风阳湿热甚重。

生石决明五钱（先煎）、桑叶二钱、牡丹皮一钱半、白蒺藜二钱、薄荷一钱半、泽泻二钱、菊花二钱、赤芍二钱、蝉衣八分、黄芩二钱、双解散四钱（包）。

复诊：取效，原方加龙胆草一钱、夏枯草二钱。

（12）耳痔，左耳内肿突有形，耳后焮核，肝阳挟湿热上升，法当疏风平肝，清络化湿。

桑叶一钱半、赤芍二钱、薏苡仁五钱、连翘三钱、荆防一钱（各）、菊花二钱、牡丹皮二钱、蔓荆子二钱、泽泻二钱、云苓二钱、竹茹一钱半、路路通七个。

（13）耳后肿突势大，皮外无色，焮痛不已，转侧不利，痰湿入络，严防酿脓。

白芥子二钱（炒）、僵蚕二钱、桔梗一钱半、橘络八分、竹沥半夏二钱、赤芍二钱、牛蒡子二钱、白芷八分、浙贝母二钱、连翘二钱、丝瓜络二钱。

（14）左耳根痰结硬势大，痛痒交作，脉小数，舌苔黄腻，痰湿阻络，严防酿脓。

僵蚕二钱、半夏二钱、桔梗一钱半、海藻二钱、丝瓜络一钱半、陈皮一钱、浙贝母二钱、茯苓四钱、昆布二钱、牛蒡子二钱、小金丹一粒。

（15）左眉间坚硬如石，势成石疽，皮外无色，近来焮痛，纳呆食少，苔黄脉小数，风寒痰湿凝结经络所发，极难速效。

酒白术二钱、赤芍二钱、僵蚕二钱、连翘二钱、云苓二钱、川芎八分、当归二钱、牛蒡子三钱、橘络八分、生姜两片、大枣三个、生甘草一钱。另：小金丹一粒陈酒化服。

（16）雷头风头痛不已，手不可近，兼起疙瘩累累，清涎上泛，脉弦滑，舌苔浮黄，风阳挟湿热上升，法当疏解。

薄荷一钱半、天麻八分、防风一钱、刺蒺藜四钱、竹沥半夏三钱、赤芍二钱、羌活一钱半、桑叶二钱、川芎八分、苦丁茶二钱、双解散四钱。

（17）风阳挟湿热上升，右鼻孔流脓，两耳失聪，脉弦滑苔黄，法当清降。

生石决明一两（先煎）、菊花二钱、通草八分、桔梗一钱半、通天草八分、赤芍二钱、桑叶二钱、蔓荆子二钱、川芎八分、泽泻二钱、白蒺藜四钱、路路通七个。

（18）颈项气瘿日以益大，肿块作痛，痛及头部，神迷嗜卧，经事愆期，素多白带，脉弦细，苔白，痰湿搏结，势难速效。

旋覆花二钱（包）、半夏二钱、茯苓四钱、海昆二钱（各）、郁金二钱、香附二钱、陈皮一钱、白蒺藜四钱、川芎八分、菊花二钱、竹茹一钱半、金橘五个。

（19）小儿盘颈痰结硬成脓，左半已溃，右半脓尚未熟，呛咳痰鸣，发热气粗，脉小数，舌苔黄腻，内外夹杂，大有舟小载重之虑。

薄荷八分（后下）、橘络八分、僵蚕二钱、桔梗一钱半、杏仁二钱、浙贝母二钱、射干一钱半、牛蒡子二钱、连翘二钱、赤芍二钱、竹茹一钱半、枇杷叶二钱。

（20）左半身破腐势大，色赤流脓，寒热纳呆，口干无津，脉细数，舌红，阴分大伤，营卫不和，防正不胜任。

南沙参二钱、天花粉四钱、白芍二钱、赤芍二钱、薏苡仁五钱、牡丹皮二钱、麦冬二钱、石斛二钱、功劳叶二钱、茯苓三钱、甘草一钱。

（21）井口疽破溃成痈而流脓，大腑燥结或带白浊，胃纳不充，脉细数，舌红少苔，秋湿逗留，经络上下窜扰而来，内外再兼治。

苍白术一钱半（各）、薏苡仁五钱、川楝子二钱、砂壳八分、谷芽四钱、泽泻二钱、当归二钱、牛膝二钱、赤苓四钱、赤芍二钱、半边莲五钱、丝瓜络二钱。

（22）瘛心痰已久，结硬势大，呼吸引痛，脉小滑，苔黄，痰湿凝结经络，难求速效。

白芥子二钱（炒）、刺蒺藜四钱、旋覆花二钱（包）、归须二钱、煨瓦楞五钱、茯苓四钱、橘络八分、竹沥半夏二钱、浙贝母二钱、生薏苡仁五钱、赤芍四钱、甜瓜子三钱。

（23）右肋痈穿溃流血不已，发热呛咳，纳呆食少，脉弦滑，苔黄，胃阴大伤，图治不易。

南沙参三钱、石斛三钱、薏苡仁五钱、茯苓三钱、牡丹皮二钱、炙甘草一钱、料豆衣四钱、麦冬二钱、冬瓜子四钱、功劳叶三钱、谷芽四钱、红枣三个。

（24）肺痈月余，寒热虽退，呛咳不已，痰出腥秽，纳呆少寐，脉濡滑，舌苔薄黄。

桑白皮二钱、杏仁二钱、薏苡仁五钱、云苓二钱、黛蛤散二钱（包）、竹茹二钱、桔梗二钱、浙贝母三钱、瓜蒌皮四钱、枇杷叶三钱、鱼腥草三钱。

（25）上搭腐烂势大，脓出不畅，根盘散漫，寒热迭作，脉小数，苔白，病在高年，外托为先。

当归二钱、赤芍二钱、牡丹皮二钱、生黄芪二钱、防风二钱、泽泻二钱、忍冬花四钱、薏苡仁五钱、丝瓜络二钱、赤苓四钱、桑枝五钱、牛膝二钱、红枣五个。

（26）搭背腐烂势大，形为蜂窝，入夜焮痛，湿热凝结经络所发。

归尾二钱、浙贝母三钱、甘草梢八分、连翘二钱、车前草二钱、牡丹皮二钱、赤芍二钱、泽泻二钱、薏苡仁五钱、赤苓四钱、丝瓜络二钱、绿豆皮二钱。

（27）阴虚木旺，湿热凝结经络，下搭背腐溃形为蜂窝，不时焮痛，寒热迭作，左鼻流血，间或梦遗，胃纳不充，脉细数，舌红苔黄，先当清化湿热。

天花粉四钱、薏苡仁五钱、当归二钱、甘草二钱、连翘二钱、银花藤五钱、赤芍二钱、杜仲二钱、牡丹皮二钱、浙贝母二钱、牛膝二钱、丝瓜络二钱。

复诊：下搭背腐溃白头形为蜂窝，得脓不畅，鼻衄已止，脉小数，舌红根黄，湿热凝结经络，势属半阴半阳。

焦白术二钱、炒薏苡仁五钱、浙贝母二钱、牛膝二钱、赤茯苓二钱、陈皮一钱半、归尾二钱、牡丹皮二钱、杜仲二钱、谷芽四钱、桑寄生四钱、丝瓜络二钱。

（28）周童，搭背痰肿硬有形，将成脓而未热，口秽异常，当以清托。

金银花四钱、甘草梢一钱半、炙甲片一钱半、赤芍二钱、牡丹皮二钱、连翘二钱、浙贝母二钱、薏苡仁五钱、赤芍四钱、泽泻二钱、丝瓜络二钱。

（29）痰湿瘀阻经络，背俞作痛，痛连头部，胃纳不充，脉细滑，苔白，严防背膜痰。

白芥子二钱（炒）、竹沥半夏二钱、浙贝母二钱、赤芍二钱、秦艽二钱、白蒺藜四钱、丝瓜络三钱（乳香拌炒）、茯苓四钱、独活一钱半、当归二钱、海风藤四钱、小金丹一粒。

（30）乳岩肿硬日以益大，焮痛，寒热迭作及腋下，两耳失聪，经事先期，脉弦数，舌红苔黄，肝阳挟湿热窜络，势防扩大蔓延。

生石决明一两五钱（先煎）、女贞子四钱、夏枯草三钱、山栀三钱、白蒺藜四钱、牡丹皮二钱、赤芍二钱、云苓神三钱（各）、连翘二钱、川楝子二钱、菊花二钱、金橘叶二钱、丝瓜络二钱、西黄散适量敷岩上。

（31）左乳房结硬块溃而无脓，不时焮痛，入夜发热或恶寒，胃纳不充，脉细数，舌红苔黄，肝家气火挟湿热凝结而成，最虑成岩。

柴胡一钱、当归二钱、白芍二钱、全瓜蒌五钱、半夏二钱、郁金二钱、浙贝母二钱、香附二钱、茯苓二钱、蒲公英三钱、金橘叶三钱。

（32）右乳于产前即溃数处，产后结硬不消，是女石乳也，呛咳多痰，胸闷纳呆，脉弦细，苔浮黄，肺胃不和，痰湿搏结所致。

瓜蒌皮四钱、浙贝母三钱、半夏二钱、炙陈皮二钱、杏仁二钱、旋覆花二钱、苏梗二钱、云苓二钱、金橘叶二钱、白蒺藜四钱、竹茹二钱、枇杷叶三钱。

（33）乳痈穿溃，脓汁颇稠，肿硬势大，寒热，脉弦滑，舌苔黄腻，病在怀麟六月，法当清荣化湿。

当归二钱、浙贝母二钱、连翘二钱、赤芍二钱、甘草梢二钱、小青皮一钱半、柴胡二钱、牡丹皮二钱、子芩二钱、赤芍四钱、蒲公英二钱。

（34）右乳痈穿溃三处，红肿未消，中心结硬，呛咳多痰，脉弦细，舌红根黄，肝家气火挟湿热为患。

南沙参三钱、杏仁二钱、薏苡仁五钱、牡丹皮二钱、浙贝母二钱、当归二钱、赤芍二钱、小青皮一钱半、桑叶二钱、竹茹一钱半、枇杷叶二钱、蒲公英三钱。

（35）腰疽坚硬势大，皮外无色，焮痛不扬，兼寒热，经事或先或后，脉小数苔黄，痰湿瘀交结经络而成，势难速效。

白芥子三钱、牛膝二钱、茯苓四钱、桂枝八分、当归二钱、赤芍二钱、竹沥半夏二钱、独活一钱半、浙贝母二钱、陈橘络一钱、丝瓜络二钱、桑枝五钱。

（36）腰疽溃而流脓，四周结硬作痛，纳少，脉细数，舌苔薄黄，阴虚木旺，湿热入络所致。

天花粉四钱、赤芍二钱、甘草梢一钱、云苓三钱、牛蒡子二钱（炒）、薏苡仁五钱、元参二钱、连翘二钱、浙贝母二钱、牛膝二钱、竹茹一钱半、丝瓜络二钱。

（37）烂头疽发于胸部，未成先溃之而流脓，四周结硬作痛，小有寒热，脉小数，苔白，湿热凝结经络，当消坚排脓。

金银花四钱、薏苡仁五钱、赤芍二钱、赤苓四钱、陈皮二钱、白术二钱、泽泻二钱、浙贝母二钱、牡丹皮二钱、甘草梢一钱、连翘四钱、竹茹二钱、丝瓜络三钱。

（38）腰疽红肿势大，中心溃脓未成熟，焮痛不已，迭经寒热，脉小数，苔黄，湿热入络，血分伏火，势防延绵。

柴胡一钱、甘草梢一钱、薏苡仁五钱、牡丹皮二钱、丝瓜络二钱、泽泻三钱、赤芍二钱、浙贝母三钱、忍冬藤四钱、赤苓四钱、蒲公英三钱。

（39）缠腰痣红肿起泡，呛咳发热，脉小数，苔黄，湿热外发所致。

荆芥二钱、泽泻二钱、赤芍二钱、牛膝二钱、杏仁三钱、独活二钱、滑石四钱、地肤子四钱、薏苡仁五钱、连翘四钱、忍冬藤四钱、丝瓜络二钱。

（40）始而寒热，继之流注，臂、背、股脂水颇多，寒热无汗，脉细数，舌苔薄腻，络中湿热未清，荣土已亏，当扶正化湿。

当归二钱、牛膝二钱、炙甘草一钱、何首乌二钱、赤白芍二钱（各）、白术二钱、川断三钱、陈皮一钱、薏苡仁五钱、谷芽四钱、云苓二钱、生姜两片、红枣三个。

（41）腹皮痈肿坚硬势大，已具成脓，焮痛，入夜发热，二便不调，亟当泄化。

生军四钱（后下）、桃仁三钱、川楝子三钱、赤苓四钱、山楂三钱、青皮一钱半、泽泻三钱、薏苡仁五钱、枳壳三钱、黄柏二钱、甜瓜子四钱。

（42）腹皮痈结坚硬势大，皮外无色，焮痛，延今数日，痰湿瘀蕴结皮里膜外，消散不易。

白芥子三钱（炒）、归须二钱、赤芍二钱、生军四钱、牡丹皮二钱、半夏二钱、桃仁三钱、薏苡仁五钱、赤苓四钱、泽泻三钱、新会皮二钱、刘寄奴三钱。

（43）腹皮痈溃而脓出颇多，肿痛大延，脉细数，舌红根黄，法当外托。

归尾二钱、甘草一钱、薏苡仁五钱、赤芍二钱、泽泻三钱、白术二钱、牛膝二钱、谷芽四钱、赤苓四钱、忍冬花四钱、生黄芪三钱、生姜两片、红枣三个。

（44）始而脘痛，继之移及腹部，夜寐欠酣，纳呆食少，脉滑数，舌根腻，湿瘀凝结肠腑，急为疏化。

归须三钱、木香一钱、延胡索三钱、川楝子三钱、海南子三钱、台乌药一钱半、白芍二钱（茱萸五分拌），小青皮一钱半、云苓神三钱、枳壳二钱、红藤三钱、败酱草三钱。

（45）寒湿滞蕴结肠腑，右小腹痞满结硬作痛，二便坚涩不调，发热白痦，脉滑数，苔黄，势防化脓。

生军四钱（后下）、滑石四钱、川楝子二钱、全瓜蒌五钱、山楂三钱、生薏苡仁五钱、牡丹皮二钱、桃仁四钱、小青皮二钱、赤芍二钱、车前子三钱、猪茯苓四钱（各）。

（46）湿毒积聚蕴结成脓，腹痈刺溃流脓，肿突作痛已减，二便不调，纳呆神倦，脉濡细，舌苔淡白，当和胃化湿。

炒白术二钱、川贝二钱、枳壳二钱、新会皮一钱半、浙贝母二钱、砂壳八分、薏苡仁五钱、泽泻二钱、半夏二钱、桑枝五钱、丝瓜络三钱。

（47）横痔，结硬势大，皮色紫赤，不时焮痛，已具化脓端倪，寒热迭作，二便不调，脉细数，舌红起纹，肾阴暗亏，始为清泄。

柴胡一钱、浙贝母二钱、牛膝二钱、甘草一钱、泽泻二钱、赤苓四钱、归尾二钱、独活二钱、黄柏二钱、九龙丹六粒开水送服。

复诊：进下夺法，大腑畅运十余次，挟有脓血，横痔结硬大软，寒热亦清，脉细数，舌红根黄，下焦湿毒未清，再为清血败毒。

生军四钱（后下）、忍冬花四钱、独活二钱、归尾二钱、浙贝母二钱、赤芍二钱、牛膝二钱、牡丹皮二钱、薏苡仁五钱、丝瓜络二钱。

（48）横痔结硬势大，焮痛不扬，呛咳寒热，脉滑舌苔浮白，湿热阻络，风邪外加，延防化脓。

前柴胡二钱（各）、苏梗二钱、浙贝母二钱、半夏二钱、杏仁二钱、新会皮二钱、牛膝二钱、赤芍四钱、独活二钱、薏苡仁五钱、丝瓜络三钱、万灵丹二钱，入煎或陈酒送下。

（49）湿热下注，肾囊赤肿作痛，已见化脓端倪，寒热迭作，便结不通，始而清泄。

生军三钱、泽泻二钱、薏苡仁五钱、川楝子二钱、柴胡八分（醋炒）、鳖甲二钱（先煎）、归尾二钱、浙贝母二钱、牡丹皮二钱、角刺二钱、青皮二钱、丝瓜络二钱、枸橘李一个。

复诊：囊痈刺溃恶血颇多，火燎作痛已定，小水短少，马口亮肿，寒热不清，脉滑数，苔浮黄，下焦伏湿本重，法当扶正化湿。

白术二钱、归尾二钱、赤芍四钱、车前子三钱、甘草梢八分、牡丹皮二钱、黄芪三钱、泽泻三钱、忍冬藤四钱、牛膝二钱、川楝子二钱、赤小豆四钱、丝瓜络三钱。

（50）湿热下注致发袖口疳，茎头外皮红肿，步履无力，唇皮起粒，胃纳不充，脉小滑，舌苔浮黄，当凉血化湿。

生地五钱、赤芍三钱、金银花四钱、牡丹皮二钱、薏苡仁五钱、滑石四钱、黄柏二钱、泽泻二钱、黑料豆四钱、赤苓四钱、蒲公英三钱。

（51）袖口疳红肿势大，不时焮痛，渐有腐势，脉小数，舌苔黄腻，湿毒下注，延防腐溃。

生地四钱、萆薢三钱、薏苡仁五钱、木通二钱、金银花四钱、赤苓四钱、黄柏二钱、生军三钱（后下）、牡丹皮二钱、滑石四钱。

（52）鸡头疳延久，马口红肿，小水不利，或带白浊，脉小数，苔黄，湿热下注，清泄为先。

川萆薢三钱、薏苡仁五钱、泽泻三钱、木通二钱、车前草三钱、赤芍苓三钱（各）、黄柏二钱、甘草一钱、牛膝二钱、滑石三钱、灯心草十根。

（53）下疳腐烂已久，发热不为汗解，心烦失寐，脉小数，舌根黄腻，湿毒内蕴，风寒外束，法当宣邪而化湿毒。

丝瓜络三钱、香白薇三钱、赤苓四钱、青蒿二钱、忍冬藤四钱、牡丹皮二钱、六曲四钱、灯心草十根、山栀二钱、杏仁二钱、连翘四钱、车前子四钱、通草一钱、省头草二钱。

（54）病后气虚，湿热下注，肛痈肿硬，势将成脓，脉小数，苔黄，法当清荣化湿。

炒白术二钱、浙贝母二钱、薏苡仁五钱、独活二钱、云苓二钱、归尾二钱、赤芍二钱、牛膝二钱、忍冬藤四钱、丝瓜络二钱、两头尖二十四粒。

（55）肛痈破溃流脂，心悸多汗，肢麻纳呆，脉沉细，苔黄，口苦，带下淋漓，血虚肝旺，湿热久羁下焦也。

麦冬二钱、龙齿五钱（先煎）、云苓三钱、牛膝二钱、薏苡仁五钱、冬瓜子四钱、牡蛎四钱、合欢皮四钱、白芍二钱、白蒺藜四钱、莲子十粒。

（56）骑马痈肿坚硬作痛，势将成脓，湿热下注，清化为先。

生军三钱、赤芍苓三钱（各）、黄柏二钱、牛膝二钱、浙贝母二钱、归尾三钱、牡丹皮三钱、忍冬藤四钱、甘草梢八分、两头尖二十四粒。

（57）箍肛毒破烂日以深大，面黄形瘦，呛咳发热，病在襁褓小儿，大有正不胜任之害。

南沙参三钱、连翘三钱、金银花四钱、胡黄连八分、黄柏二钱、泽泻三钱、赤芍苓二钱（各）、乌梅二钱、地肤子四钱、甘草梢八分。

（58）怀麟六月，肛门四周破腐，名为箍肛毒，前阴破溃作痒，脉滑数，舌苔浮黄，当凉血化湿毒。

归尾二钱、子芩二钱、黄柏二钱、薏苡仁五钱、赤芍苓二钱（各）、生地五钱、金银花四钱、甘草八分、木通二钱、泽泻二钱、车前子四钱、地肤子四钱。

（59）横痔消后又发坐板疮，臀尖疙瘩累累，遍体脓疮作痒，脉滑数，舌苔黄腻，络中湿毒未楚，当清化之。

苍术二钱、生军二钱、黄柏二钱、忍冬藤四钱、牡丹皮二钱、赤苓芍二钱（各）、生地四钱、泽泻二钱、牛膝二钱、丝瓜络二钱。

（60）手背腐烂势大，胃纳不充，脉细数，苔白，正气日伤，湿热犹未尽也。

炒白术二钱、炙甘草一钱、泽泻二钱、鸡内金二钱、忍冬藤四钱、薏苡仁五钱、谷芽四钱、赤苓四钱、砂壳八分、冬瓜子三钱、丝瓜络三钱。

（61）右足发背腐烂势大，曾经流血，湿热上升，满口疙瘩累累，龈床腐烂，大腑燥结，脉小数，苔黄，当凉血化湿兼败蕴毒。

生军四钱（后下）、黄柏二钱、赤苓四钱、桔梗二钱、薏苡仁五钱、生地五钱、甘草八分、知母二钱、牡丹皮二钱、连翘四钱、金银花四钱、丝瓜络二钱、绿豆皮四钱。

（62）左腿内结硬作痛，皮外无色，纳呆时发寒热，脉小数，苔黄，寒湿痰交阻经络，消散不易。

当归二钱、木瓜二钱、独活二钱、陈皮二钱、苍术二钱、桂枝八分、白芥子二钱、赤苓四钱、牛膝二钱、薏苡仁五钱、桑枝五钱、万灵丹二钱，陈酒下。

（63）阴痰久溃，脓出淋漓，洞口颇深，步履失调，阴雨加重，脉小数，舌红苔白。

白芥子二钱（炒）、牛膝五钱、薏苡仁二钱、牡丹皮二钱、独活二钱、杜仲二钱、当归二钱、云苓三钱、泽泻二钱、赤芍二钱、桑寄生四钱。

（64）阴包毒肿硬势大，根脚散漫，痛痒交作，间或发麻，寒热交作，脉小数，苔白，痰湿凝结经络，势防阴包毒化脓。

大豆卷四钱、桂枝八分、赤芍四钱、生薏苡仁五钱、木瓜二钱、独活二钱、归尾二钱、牛膝二钱、陈皮二钱、泽泻二钱、丝瓜络二钱、桑枝五钱。

（65）阳包毒溃后稠脓颇多，紫肿作痛，纳呆食少，脉小数，舌红根黄，湿热蕴结下焦，当为外托。

白术二钱、黄柏二钱、炙黄芪三钱、薏苡仁五钱、赤芍二钱、忍冬藤四钱、归尾二钱、赤芍二钱、牛膝二钱、甘草八分、丝瓜络二钱、桑枝五钱。

（66）伏寒痰红肿结硬焮痛，步履不调，心热纳呆作恶，脉弦细，舌红苔黄，痰湿入络，肝气阻中，内外夹杂，正不胜邪可虑。

归尾二钱、陈皮二钱、牛膝二钱、赤芍苓二钱（各）、泽泻三钱、丝瓜络二钱、独活二钱、忍冬藤四钱、薏苡仁五钱、金橘叶皮四钱（各）、桑枝五钱。

（67）委中毒红肿势大，膝盖水肿，根盘未定，不克步履，寒热迭作，脉小数，苔黄，痰湿入络，化脓可虑。

大豆卷五钱、归尾二钱、独活二钱、黄柏二钱、茯苓四钱、薏苡仁五钱、苍术二钱、桂枝八分、陈皮二钱、牛膝二钱、泽泻二钱、桑枝五钱。

（68）右足裙边疮腐烂红肿作痛，不能步履，湿热下注所致之候。

生地五钱、忍冬藤四钱、黄柏二钱、薏苡仁五钱、牛膝二钱、泽泻二钱、苍术二钱、赤芍二钱、地肤子四钱、牡丹皮二钱、甘草八分、桑枝四钱。

（69）面部浸淫疮红肿滋蔓作痒，势大如火燎，胸膺嘈杂，舌红，脉小数，肝家气火挟湿热上升为患。

炒荆芥二钱、赤芍二钱、泽泻二钱、薏苡仁五钱、蔓荆二钱、茯苓二钱、生地五钱、牡丹皮二钱、菊花二钱、鲜藕一两、生甘草八分。

（70）湿热久羁血分，胸膺湿癣退后，头部浸淫疮滋蔓不已，后项颈部焮痛，大腑燥结，舌红，脉小数，当为清化。

生军二钱（后下）、黄柏二钱、泽泻二钱、橘络八分、连翘四钱、蝉衣二钱、蔓荆二钱、薏苡仁五钱、赤苓芍二钱（各）、桑叶二钱、丝瓜络二钱。

（71）右耳流脓是为肾疳，闻听失聪，脉弦滑，舌红，水亏木旺，湿热久羁下焦，重听可虑。

生地四钱、牡丹皮二钱、黄柏二钱、赤芍四钱、蔓荆二钱、泽泻二钱、薏苡仁五钱、夏枯草三钱、路路通三个、甘草八分。

（72）赤丹由左肋下延及胸背，形为云片，曾经寒热，脉小数，舌红苔黄，心火湿热甚重，延绵可虑。

荆芥一钱、元参二钱、薄荷二钱、忍冬藤四钱、牛蒡子二钱、丝瓜络二钱、山栀二钱、生甘草八分、连翘二钱、蝉衣一钱、灯心草十根。

（73）厉风挟湿窜入经络，白癜风延久，肢末拘挛，遍体脱皮白斑，步履不利，脉沉滑，苔白，牙紧，速效可求。

苍术二钱、薏苡仁五钱、防风二钱、当归二钱、橘络八分、桂枝八分、桑枝五钱、荆芥二钱、胡麻四钱、牛膝二钱、羌独活二钱（各）、豨莶草二钱、丝瓜络二钱。

（74）紫葡萄瘟先由右足而起，右半身作痛，迭经寒热，脉小数，舌红苔黄，风邪挟酒湿入于经络，外发腠理，清托为先。

大豆卷五钱、赤苓四钱、忍冬藤四钱、连翘三钱、独活二钱、薏苡仁五钱、牛膝二钱、赤芍二钱、泽泻二钱、牡丹皮二钱、丝瓜络三钱、双解散四钱。

（75）唇疔结硬红肿，右腮曾经破溃流脓，唇肿目肿，入夜发热口渴，舌红，脉滑数，风火湿热壅结上焦。

薄荷一钱半（后下）、川连一钱、金银花四钱、子芩二钱、桔梗一钱半、甘草八分、菊花二钱、浙贝母三钱、连翘二钱、甘草八分、赤芍二钱、半边莲二钱、丝瓜络二钱。

（76）托盘疔红肿结硬界限不清，焮痛不已，溃而化脓，风热湿毒交结而成，法当清解。

生军二钱（后下）、薏苡仁五钱、泽泻二钱、赤芍二钱、牡丹皮二钱、半边莲二钱、地丁二钱、忍冬藤四钱、牛蒡子二钱、甘草一钱、连翘二钱、丝瓜络二钱。

（77）右手疔毒刺溃脓出不畅，手背及指节赤肿，头痛纳呆，脉弦滑，舌苔满腻，积湿本重，肝阳上潜也。

全瓜蒌五钱、苍术二钱、牡丹皮二钱、泽泻二钱、赤芍二钱、白蒺藜四钱、菊花二钱、薏苡仁五钱、赤苓四钱、省头草三钱、半边莲三钱。

（78）足底疔结硬作痛，已将成脓，寒热无汗，脉小数，舌苔薄腻，积湿凝阻下焦，治当疏托。

大豆卷四钱、牛膝二钱、独活二钱、忍冬藤四钱、黄柏二钱、赤苓四钱、苍术二钱、薏苡仁五钱、甘草五钱、丝瓜络三钱、地丁四钱、桑枝五钱。

（79）王童，下唇猝然红肿，预防疔毒，亟为清化。

薄荷一钱半（后下）、牛蒡子二钱、僵蚕二钱、浙贝母二钱、菊花四钱、桔梗一钱半、生甘草一钱、连翘二钱、白芷八分、金银花四钱、金汁一匙。

乾麟按：世人皆称马培之“以外科见长而内科成名”，然而近代研究孟河马派的外科学术经验甚少。马培之谓：“凡业疡科者，必须先究内科，《灵》《素》不可不参，张、刘、李、朱四大家，尤不可不研究。假如内外两证夹杂，当如何下手，岂可舍内而治外乎。”先祖父亦鲁公继承孟河马氏外科经验，在诊治外科病证中，重视内科理论与外科处理相结合，认为“痈疽当分阴阳，阳证宜清散、清托；阴证宜疏散、温托”“六淫发者宜散，七情发者宜补”“实证可攻可逐，虚证可托可解”“外科疡证，有胃气则生，无胃气则死，外疡必得气血充足，方能化脓、脱腐、收口，而气血不足，必借胃气资养”，并提出“外科之证，发在上部，多属风火；患在中部，多属气郁痰热；病在下部，多属湿热”的思路。

脑疽发于上部。马培之谓：“头为六阳之首，六阳者，手足三阳也。风为六淫之长，阳经蕴热，风邪入巅而入，入则营卫不利，血脉凝泣，始生疙瘩，或正或偏，或红根白头，三两日内即作焮痛，甚作寒热，只宜清散。”亦鲁公诊治脑疽，多从风火例立法，每在重用金银花、连翘、蒲公英等清火剂中，佐以羌活、白芷、柴胡之类疏散风邪，早期以清化为先，多用浙贝母、牛蒡、薏苡仁之品，后期辅以黄芪外托。马培之曾谓脑疽“始终禁用人参、黄芪”，但对于病久体虚，脓出不畅者，少用黄芪托毒排脓，有利而无弊。

乳核、乳岩发于中部。马培之谓：“乳癌、乳核，男妇皆有之，唯妇人更多，治亦较难。乳头为肝、肾经二经之冲，乳房为阳明气血会集之所。论症核轻而岩重。论形核小而岩大……皆肝脾郁结所致。痰气凝滞则成核，气火抑郁则成岩。”故而亦鲁公诊治乳核、乳岩，多从肝家气火有余，湿热痰火窜络例立法，取丹栀逍遥散出入，加以蒲公英、连翘、夏枯草清泻肝火，全瓜蒌、半夏、金橘叶行气以化痰湿。若病久体虚，则宜辅以沙参、麦冬之类平补，不用或少用甘温补品，以防助火生痰之弊。

肾囊痈发于阴囊，病在下部。马培之谓："子痈与囊痈有别，子痈则睾丸硬痛，睾丸不肿而囊肿者为囊痈"，又谓囊脱为"阴囊生毒烂破，肾子落出"。亦鲁公认为阴囊属足厥阴肝经所注，其病在湿热下注厥阴，而兼肝郁气滞，瘀凝所结，治此当清疏兼施，每以龙胆泻肝汤化裁。若肾囊赤肿作痛未溃时，多辅以赤芍、牡丹皮、生军之品，以凉血泻热；若溃破后，气血之虚必显，可加入黄芪、白术以气血兼培。马培之在《外科集腋》一书中谓："囊痈起初，用紫苏研末，葱汤调敷神效。"今录之，供今后临床研究。

亦鲁公在诊治诸多外科病证时，除辨证处方，内服中药外，或配以刀针，或辅以外治法，以内外同修。由于其外用验方多见于马培之《青囊秘传》一书中，故而在此不再赘述。

三、内科类

（一）疟疾

（1）王左，间日疟两月，寒热俱重，汗不畅达，头痛口渴，脉弦数，舌苔浮白，风寒湿滞交结少阳阳明，法当和解宣化。

柴胡二钱、黄芩二钱、云苓二钱（雄黄拌）、青陈皮二钱（各）、六和曲二钱、常山一钱、藿佩根二钱（各）、知母二钱、威灵仙二钱、生姜两片、草果霜一钱。

乾麟按：家父德馨教授受先祖父用雄黄拌炒茯苓治疗疟疾高热的启发，试用雄黄治疗急性白血病感染，从而开创了雄黄治疗急性白血病的先河。

（2）陈左，间日疟，来时提早，寒轻热重，汗出不畅，呛咳多痰，脉弦细数，苔白，伏邪未透，当为和解。

银柴胡一钱、半贝散二钱、子芩二钱、草果霜一钱、陈皮一钱、鳖甲五钱（先煎）、青蒿梗二钱、杏仁三钱、知母二钱、茯苓二钱、红枣两个、煨姜三片。

（3）马左，肺疟，间二日寒热，热则呛咳，痰多难出，脉弦细，舌苔满腻，风邪痰湿羁结肺络，当为宣肃疏风。

大豆卷四钱、杏仁二钱、青蒿梗二钱、牡丹皮二钱、前胡二钱、六曲四钱、苏子梗二钱（各）、半贝散二钱（包）、桑叶二钱、陈皮一钱、佛手八分、枇杷叶二钱。

（4）张右，间日疟屡发屡止，汗出颇多，头痛胸闷，带下淋漓，脉弦细，舌红苔黄，阳土两伤，伏邪深入。

柴胡一钱、子芩二钱、白芍二钱（桂枝五分拌）、杏仁二钱、当归二钱、新会皮一钱半、半夏二钱、青蒿二钱、炙甘草八分、茯苓二钱、草果一钱、常山二钱、生姜两片、红枣三个。

（5）余右，子母疟寒轻热重，无汗呛咳，口黏胸闷作痒，脉弦滑，舌苔白腻，风邪痰滞交结肺胃，法当宣肃疏化。

柴胡一钱、杏仁二钱、茯苓神二钱（各）、青陈皮一钱半（各）、枳壳二钱、佩兰二钱、前胡八分、半夏二钱、桑叶三钱、青蒿二钱、郁金二钱、子芩二钱、姜皮四分、枇杷叶二钱。

（6）刘右，痰疟延久，呛咳鼻衄，小腹急胀作痛，胃纳不充，脉弦细，舌苔薄白，伏邪痰湿羁结三阳，法当宣邪肃肺。

桑叶二钱、杏仁二钱、草果霜二钱、半夏二钱、白芍二钱（茱萸五分拌）、木香五分、牡丹皮二钱、知母二钱、青陈皮一钱半（各）、云苓二钱、乌梅二钱、生姜两片。

（7）吴右，痰疟作于夜分，寒重热轻，或止或发，面浮足肿，腹胀有形，兼发湿疮，冷涎上泛，脉沉滑，舌苔白腻，向日好饮，酒湿本重，法当温中化湿。

苍术二钱、厚朴二钱、大腹皮三钱、六和曲四钱、姜半夏二钱、枳壳二钱、连皮苓四钱、青陈皮一钱半（各）、薏苡仁三钱、泽泻二钱、桂枝一钱、干姜皮五分。

（8）朱右，疟疾较为间日，寒轻热重，汗不畅达，胸膺不舒，口渴溲赤，脉弦细，舌红，少阳之伏邪，阳明之痰滞，仍未肃清也，法当和解。

川朴八分、青蒿二钱、姜半夏二钱、生何首乌三钱、草果霜二钱、柴胡一钱、青陈皮一钱半（各）、子芩一钱半、知母二钱、六和曲四钱、生姜两片、红枣三个。

（9）汪右，疾疟延久，止而复作，寒轻热重，汗不畅达，脉弦细，舌苔薄腻，脾土暗伤，伏邪痰湿，深陷三阳也。

柴胡一钱、姜半夏二钱、青陈皮一钱半（各）、知母二钱、海南子二钱、赤苓四钱、生何首乌三钱、六曲四钱、草果霜一钱、威灵仙二钱、生姜两片。

（10）魏右，痰疟，胎前延及产后，汗出颇多，四肢麻木无力，带多，肩痛，脉弦细，舌红苔黄，曾经便泄，可见气血即伤，脾土又弱。

白术二钱、草果仁一钱、白芍二钱、姜半夏二钱、六和曲四钱、当归二钱、柴胡八分、青陈皮一钱半（各）、桂枝五分、云苓三钱、威灵仙二钱、生姜两片、红枣三个。

（11）吴右，痰疟虽止，未得畅汗，伏邪既未罢，食物又欠节，入夜恶寒口渴溲赤，脉弦细，舌苔薄腻，痰湿阻滞阳明，口腹慎之可也。

柴胡一钱、杏仁二钱、陈皮一钱半、白芍二钱、草果一钱、枳壳二钱、青蒿二钱、半夏二钱、桂枝五分、云苓二钱、知母二钱、佩兰二钱、六曲四钱、生姜两片。

（12）袁右，痰疟时愈时发，呛咳头昏，两足酸痛，经停两月，脘膺痞闷，脉弦细，苔白。

前柴胡八分（各）、香附二钱、白蒺藜四钱、旋覆花二钱（包）、云曲四钱、苏梗二钱、佛手一钱、佩泽兰二钱（各）、杏仁二钱、半贝散四钱（包）、青陈皮一钱半

（各）、郁金二钱、月季花三朵。

（13）潘右，痰疟延久，止而复发，来时提早，呛咳痰出冷沫，胸闷盗汗，脉沉濡，舌红根白，阳土已亏，寒湿阻胃，虚中挟湿。

姜半夏二钱、郁金二钱、子芩二钱、杏仁二钱、砂仁一钱、云苓二钱、六曲四钱、青陈皮一钱半（各）、枳壳二钱、桂枝五分、佛手八分、草果霜一钱、生姜两片、红枣三个。

（14）王右，病疟两月，阴土大亏，时愈时发，入夜多汗，腰痛足麻，脉濡细，舌红苔黄，当剿抚兼施。

何首乌三钱、当归二钱、白术二钱、新会皮一钱半、乌梅二钱、白芍二钱（桂枝五分拌）、柴胡二钱、黄芪皮二钱、牛膝二钱、云苓二钱、草果一钱、知母二钱、生姜两片、红枣三个。

（15）王右，痢后转疟，来时不一，两足不和，口生清涎，便结气坠，脉濡数，舌心腻黄，伏邪湿滞，蕴结二阳，延防正不胜任。

银柴胡一钱、杏仁二钱、白芍二钱、腹皮二钱、郁金二钱、省头草二钱、生姜两片、赤苓二钱、半夏二钱、陈皮一钱、桂枝五分、青蒿二钱、六曲四钱、枳壳二钱、佛手一钱。

（16）陈左，劳则寒热，来时无定，得汗而退，头痛耳鸣，呛咳多痰，脉濡细，舌红苔黄，当以劳疟例立法。

生何首乌三钱、鳖甲五钱（先煎）、半贝散四钱（包）、云苓神二钱（各）、新会皮一钱半、青蒿梗二钱、省头草二钱、银柴胡一钱、当归二钱、杏仁二钱、生姜两片、红枣三个。

（二）血证

（1）马左，受凉感风起现，呛咳十日不已，兼之劳力，肺络受伤，络伤血溢，巨口而来，胸膺嘈杂，脉滑数，舌苔浮黄，势防血冲，亟为润肺安络。

鲜生地八钱、牡丹皮二钱、白芍二钱、茜根炭二钱、桑叶二钱（蜜炙）、仙鹤草三钱、蒲黄二钱、阿胶二钱、天冬二钱、川贝一钱半、小蓟炭二钱、凤凰衣一钱、青蛤壳五钱、藕节5个、十灰散三钱（童便调服）。

（2）邹左，巨口咯血，呛咳咽痒，头昏颈胀，胸膺痞闷，脉弦数，舌苔黄腻，酒湿化热，风燥挟肝阳扰于肺部，法当降火凉血，润肺安络。

鲜生地二两、仙鹤草三钱、参三七二分（研粉冲）、郁金炭二钱、白芍二钱、旱莲草二钱、煅瓦楞五钱、女贞子三钱、丹皮炭二钱、茜草炭一钱半、小蓟炭一钱半、十灰散四钱。

（3）巨口咯红未止，遗精仍频，呛咳气促，纳呆少寐，脉弦细，舌根黄腻，水亏于下，阳热于上，龙雷宜潜。从阴虚阳亢，络伤血溢立法。

鲜生地一两五钱、三七五分（搓细）、阿胶二钱、白芍二钱、天冬二钱、白及二钱、仙鹤草三钱、龟甲一两（先煎）、蒲黄七分、川贝二钱、竹茹一钱半、丹皮炭二钱、十灰散四钱、藕汁或童便泛丸服。

（4）李童，始而鼻衄，继之鼻衄、吐血齐发，发热无汗，胸闷气痛，劳力伤络，络伤则血外溢也。

瓜蒌皮三钱、煅瓦楞五钱、白梗通一钱、郁金炭二钱、桑皮二钱、杏仁二钱、藕节三个、丹皮炭二钱、黑山栀二钱、赤芍一钱、云苓二钱、白茅花三钱、竹茹二钱。

（5）盛右，肺肾两亏，荣卫不和，经事先后不一，腹下结块，呛咳二十余年，鼻衄甚多，头眩腰酸，脉细滑，舌红根黄，枝节多端，势难速效。

北沙参五钱、川贝二钱、白蒺藜三钱、茯苓三钱、郁金炭二钱、大白芍二钱、牡丹皮一钱半、茺蔚子二钱、杏仁二钱、女贞子二钱、鲜藕二两。

（6）经云阴络伤则血内溢，下血颇多，脾肾两亏，脉象濡细，防致肿胀，切慎。

东洋参一钱半、土炒白芍二钱、芡实三钱、土炒白术一钱半、广皮八分、扁豆衣一钱半、云苓神二钱（各）、穞豆衣一钱半、伏龙肝一两（熬汤代水煎药）。

（三）痰饮

脾肾真阳不足，寒湿痰羁结阳明，聚积成饮，饮者是也，呕吐酸水痰涎兼挟紫色，五六日发一次，面目发黄，目胞水肿，脉弦滑，舌红少苔，拔根不易，姑仿仲景先师，治饮以温药和之立例。

附片八分、白芍二钱、姜半夏二钱、公丁香十四粒、陈皮一钱、白术二钱、桂枝八分、干姜八分、砂仁一钱（研）、煨益智仁二钱、煨姜两片、茯苓四钱。

丸方：健脾为化湿之本，运中为蠲饮之源。

党参三两、茯苓四两、白芍二两、附片二两、苍白术二两（各）、白蔻一两、茱萸八钱、桂枝八钱、姜半夏二两、泽泻二两、薏苡仁五两、炙甘草四钱、新会皮一两五钱、白蒺藜三两、谷芽四两、干姜一两、益智仁五钱、砂仁一两、公丁香一两、真獭肝二两、荜茇五钱、佛手一两。

上味研为细末，旋覆花二钱、神曲四两、煨姜二两共煎浓汤泛丸，每晨开水送下。

另：公丁香一钱、上白蔻一钱、淡干姜一钱、上肉桂一钱，研极细末，每晚开水送下五分；或干姜、肉桂改茱萸五分、砂仁五分亦可。

（四）神志

（1）何右，始而寒热头痛，今晨猝然闭厥无知，不省人事，牙关强急，自汗淋漓，脉弦滑而数，舌苔浮黄，时邪引动肝逆气火与痰浊相搏成为肝厥，厥已入时，亟为清降开化。

生石决明一两（先煎）、旋覆花二钱（包）、白芍二钱、橘络八分、竹沥半夏二钱、竹茹二钱、郁金二钱、天麻八分、乌梅一钱半、川贝二钱、白蒺藜四钱、九节蒲一钱半，午前服苏合香丸一粒。

（2）孟童，痰厥有年，近来萌发尤勤，手足瘛疭，发前头昏目眩，脉细滑而数，舌苔薄黄，风阳痰浊交阻经络使然。

生石决明一两五钱（先煎）、射干二钱、竹沥半夏二钱、橘红一钱、双钩三钱（后入）、天麻八分、龙齿五钱（先煎）、天竺黄一钱半、远志二钱、杏仁二钱、竹茹一钱半、九节蒲二钱。

另：琥珀抱龙丸一粒，薄荷一钱，九节蒲一钱煎汤化服。

（五）肿胀

（1）丁左，秋湿内蕴，风邪外束，两腿湿癣成片为白癜风状，面浮足肿，微咳面黄，便结尿少，曾经寒热往来，脉滑数，舌苔薄白，姑为疏风化湿，兼利水道。

大豆卷五钱、车前子四钱、白鲜皮三钱、杏仁二钱、五加皮三钱、大腹皮三钱、丝瓜络三钱、苍术二钱、薏苡仁五钱、连皮苓五钱、泽泻三钱、忍冬藤三钱、赤小豆四钱。

复诊：面浮足肿未退，马口又渐浮亮，两臂腿湿癣依旧，皮色紫黑，二便通调，脉沉滑，舌苔白腻，风邪挟湿侵袭腠理，殊防湿化为水。

麻黄八分、苍术一钱半、木防己二钱、车前子三钱、桔梗一钱半、生薏苡仁五钱、干姜皮五分、桂枝八分、牛膝二钱、大腹皮三钱、泽泻二钱、连皮苓五钱、赤小豆四钱。

（2）缪左，病久脾肾真阳已亏，寒湿内蕴不化，少腹痞胀，左半身清冷，脉沉濡，苔腐白不渴，拟仲景先师真武汤加味。

附片八分、白芍二钱、（桂枝八分拌炒）、大腹皮二钱、姜半夏二钱、云苓三钱、薏苡仁五钱、白术二钱、青陈皮一钱半（各）、炙甘草一钱、生姜两片。

（六）呃逆

（1）陈左，古稀年高，呃逆延久，经针灸已减轻，饮食睡眠正常，脉细小滑，舌红少苔，肝肾两亏，胃气上逆，升降失司，用橘皮竹茹汤加味。

东北人参一钱半、陈橘皮一钱半、姜竹茹一钱半、制半夏一钱半、旋覆花一钱半（包）、代赭石四钱、麦冬一两、橘核三钱、刀豆一钱、柿蒂七个、枇杷叶三钱（包）。

复诊：药后呃逆已止，间或咳嗽吐痰，夜间小溲五六次，胃纳正常，脉小滑，舌红苔薄黄，再润肺化痰。

东北人参一钱、南沙参一钱、旋覆花一钱（包）、法半夏一钱、橘皮核一钱（各）、竹茹一钱半、麦冬一钱、刀豆子四钱、胡桃肉三钱、枇杷叶三钱。

（2）陈左，高年肺肾两亏，水不涵木，头晕阵作，肺气不降，胃气上逆，昨晨呃逆迄今未止，痰黏难出，气急口干，夜分少寐，大便润通，小溲自溺，脉浮大，右关滑数，舌苔黏腻，势防胃败和神糊，拟《金匮要略》麦门冬汤合橘皮竹茹汤加味。

西洋参一钱、炒竹茹一钱、陈皮一钱半、旋覆花一钱（包）、代赭石六钱、法半夏一钱半、麦冬一钱半、川贝母二钱、茯苓三钱、上沉香三分、刀豆子四钱、柿蒂七个、枇杷叶三钱、炙远志八分。

（七）脘腹痛

（1）夏右，肝肾两亏，寒伏厥阴，小腹不时作痛，腰际酸楚，脉滑数，舌苔薄腻，法当温肾逐寒，化湿通络。

附片八分、白芍二钱（茱萸八分拌）、杜仲二钱、木香一钱、乌药二钱、青陈皮二钱（各）、当归二钱、川楝子二钱、独活二钱、巴戟天二钱、川断二钱、寄生四钱。

（2）陈右，右腹胀满作痛，手不可近，便结六日，发热多汗，脉沉数，苔黄，风邪湿滞，搏结肠腑，气运不合，当化湿通腑。

全瓜蒌五钱、郁金二钱、大腹皮子二钱（各）、连皮苓四钱、木香一钱、台乌药八分、白芍二钱（茱萸八分拌）、川楝子二钱、杏仁二钱、青陈皮一钱半（各）、生姜两片。

另：乳没三分、茱萸三分、川楝子三分、肉桂五分、木香三分研细末置膏药内，贴痛处。三物备急丸5粒开水送下。

（3）血虚气滞，脘痛或左或右，曾吐蛔五条，心荡少寐，胃纳不充，头昏目花，痛剧于夜分，甚则多汗，脉细滑，舌红根黄，拟黄芪建中汤加味。

炙黄芪三钱、九香虫一钱、云神四钱、旋覆花二钱（包）、归须二钱、白芍二钱（茱萸五分拌）、乌梅炭二钱、木香一钱、青陈皮一钱半、川楝子二钱、白术二钱（枳壳一钱拌）、佛手八分、獭肝一钱。

按：不用桂难称建中，颜氏治胃痛喜青香散，平胃惯用，獭肝一味，历来为治劳瘵，颜氏家传治胃痛，颜得之贺，贺得之马也。

（八）便秘

（1）傅右，夙患癫证，大便经常燥结，胸腹不舒，经事净而复行，量不多，口苦心烦少寐，脉细数小滑，舌苔黄腻，肝郁肠燥，当润燥通幽。

竹沥半夏三钱、北秫米三钱、全瓜蒌六钱、枳实二钱、杏仁三钱、海南子三钱、决明子五钱、郁李仁四钱、黑芝麻三钱、麻仁丸四钱（包）、郁金二钱、远志一钱半、荸荠五个（打）、海蜇八钱。

复诊：大便畅通一次，食欲不振，晚间则心烦少寐，懊憹不安，胸脘自觉痞闷，脉弦滑，舌苔腻黄满布，痰浊中阻，肠胃消化传导失司，再用温胆汤加味。

制半夏三钱、陈橘皮一钱半、枳实二钱、竹茹二钱、茯苓三钱、远志一钱半、郁金二钱、莱菔子三钱、沉香曲三钱、全瓜蒌五钱、杏仁三钱、冬瓜子五钱、荸荠十个（打）、海蜇一两（洗）。

三诊：痰咳较爽，府行两次，间又隔数日，胸膺痞闷不舒，夜间懊憹失寐，脉沉滑，舌根腻白，肠胃痰滞未清，肝失条达，胃失和降，再用辛滑通阳而化痰浊。

干薤白四钱、全瓜蒌六钱、半夏三钱、橘皮一钱半、旋覆花三钱（包）、沉香五分、佛手一钱、木香七分、枳实三钱、远志二钱、郁金二钱、辰茯苓三钱、六曲三钱、合欢皮花四钱（各）、荸荠十个（打）、海蜇一两（洗）。

四诊：入暮以来精神好转，胃纳亦增加，大便仍两三日一行，痰出颇多，夜间少寐懊侬，昨啖米团两个，胃纳又困，脉小滑，舌苔又复白腻，仍当化痰导滞兼安神志。

礞石滚痰丸四钱（包）、姜半夏三钱、化橘红二钱、全瓜蒌六钱、枳实二钱、干薤白四钱、陈胆星一钱半、海南子四钱、莱菔子三钱、郁金一钱（矾水炒）、丹参三钱、桃仁一钱、荸荠十个（打）、海蜇一两（洗）。煎汤代水。

五诊：府通一次，坚硬如栗，带黑色，自觉胸腹饱胀及积滞许多，弹出不爽，经事愆期，纳呆少寐，近期又牙齿作痛，脉小滑，舌苔前半白腻较化，痰滞未清，心胃之火上升，再清火化痰。

全瓜蒌七钱、元参四钱、牛膝二钱、辰茯苓三钱、益元散四钱半（包）、连翘心三钱、麦冬三钱、青盐六分（冲）、赤芍三钱、白蒺藜四钱、骨碎补四钱、法半夏三钱。

六诊：大便每日通行一次，齿痛已平，睡眠较安，痰出不多，经事愆期，仍当化痰调经和胃安神。

全瓜蒌六钱、丹参四钱、郁金一钱（矾水炒）、合欢皮花三钱（各）、青盐五分（冲）、半夏三钱、佩泽兰二钱（各）、牛膝二钱、益母草四钱、白蒺藜四钱、桃仁三钱、远志二钱、辰茯苓三钱、麦冬三钱。

七诊：经行色正量多已净，大便间日通行，进食或多或少，胸膺部易于懊侬，夜间则烦扰不宁，午睡时亦或烦懑，痰出不爽，脉小滑，带数，舌苔腻白已薄，据述七年前阿胶服过多即患失眠，仍当清心镇脑，化痰安神。

天王补心丹三钱（包）、炙远志二钱、黑山栀三钱、豆豉二钱、半夏三钱、北秫米三钱、麦冬三钱、连翘三钱、郁金二钱（矾水炒）、辰茯苓一钱、全瓜蒌五钱、川贝二钱（打）、合欢皮花四钱（各）。

八诊：进栀豉汤加味，胸膺懊侬已舒，脘痛亦止，胃纳不振，神志亦较安宁，夜寐颇酣，舌苔腻黄亦薄，脉细小滑，仍守原法增入养阴益气。

南北沙参三钱（各）、半夏三钱、橘皮二钱、全瓜蒌五钱、川贝二钱（打）、炙远志二钱、麦冬三钱、茯苓三钱、牡蛎六钱、冬瓜子四钱、白蒺藜四钱、灵磁石六钱、合欢花皮三钱（各）、孔圣枕中丹二两 。

（2）陈左，大便三日未行。今日通而不多，痰多黏白，食欲不充，腹胀肛门气坠，脉沉细如丝，右部不楚，舌红绛起纹，高年气血已伤，肾亏肝旺，大小肠功能失调，拟调肺养阴，升气降浊，最防神糊呃逆。

西洋参一钱、升麻七分（米炒）、淡苁蓉四钱、炙紫菀三钱、天冬三钱、杏仁三钱、冬瓜子四钱、桂皮四钱、川贝母二钱（打）、橘络一钱半、大荸荠十个（打）、海蜇八钱（洗），煎汤代水。

复诊加黑芝麻二钱、火麻仁三钱，服后大便畅通，咳喘亦平。

（3）张左，背部恶寒，手足发冷，如不着衣，甚则冷气彻骨，大便秘结，四日未通，右胁或隐痛，睡眠易醒，脉沉迟，舌苔薄白根腻，寒湿痰久阻经络，阳气失于流通，法当通阳化痰。

鹿角片四钱、熟附子一钱、桂枝一钱、淡苁蓉四钱、制半夏三钱、橘皮一钱半、茅苍术一钱半、羌独活八分（各）、丹参三钱、鸡血藤四钱、制首乌四钱、炙甘草一钱、半硫丸一钱（吞）。

二诊：大腑通润，手足发冷已和，冷气彻背亦退，背部仍觉恶寒，右胁痛，间或如刺，饮食略香，口不渴，脉沉滑，舌苔薄白腻，当再疏肝温脾，兼化湿痰。

鹿角片四钱、桂枝一钱、柴胡一钱、茅苍术二钱、青陈皮一钱半（各）、香附三钱、郁金二钱、炒白芍二钱、川楝子三钱、延胡索二钱、制半夏三钱、丹参三钱、炙甘草一钱。

按：背为阳，阳中之阳，为督脉循行，阳气不足，浊阴凝结不通，故为秘为结。方中鹿角、桂、附、硫黄温通，茅苍术、半夏和运，阳足则阴自散也。

（4）王右，高年阴虚肠燥，大便燥结，口渴引饮，胃纳尚好，脉细而小数，舌红根浮白，法当滋阴生津。

川石斛四钱、全瓜蒌六钱、黑芝麻四钱、天冬三钱、当归二钱、生何首乌四钱、苁蓉四钱、决明子四钱、冬瓜子四钱、郁李仁三钱、麻仁丸一钱（吞）。

复诊：大便每日通行，已成条，口渴引饮大减，食后消化不强，脉细滑，舌根浮白已化，仍当润阴滋肾，生津和胃。

川石斛四两、天冬三钱、苁蓉四钱、冬瓜子四钱、黑芝麻四钱、决明子四钱、全瓜蒌四钱、生何首乌四钱、谷芽四钱、炙鸡内金二钱、脾约麻仁丸一钱半（吞）。

（5）张右，古稀高年，气血本亏，胃气不降，肠乏津润，脘痛呕吐止后，大便燥结，纳呆食少，脉细濡，舌苔薄，当和胃降浊。

茅苍术一钱、黑芝麻三钱（打）、茯苓三钱、枳实一钱半、决明子四钱、冬瓜子四钱、火麻仁三钱、左金丸五分、半夏二钱、橘皮一钱半、生谷芽三钱。

按：药后大腑通润三次，胃纳未复，原方去火麻仁、枳实，改枳壳，加大砂壳八分。

（6）徐右，生产九胎，流产一个，气血两亏，肠腑少津润，经常便秘，近来大便七日不通，小溲急数不爽，腹不胀痛，口干纳呆，腰痛，脉细数，舌红中起纹，肾主二便，肾苦燥，急食辛以润之。

淡苁蓉四钱、锁阳四钱、天冬三钱、升麻八分、桔梗一钱半、紫菀三钱、当归四钱、冬葵子四钱、猪苓二钱、郁李仁三钱、海参肠七条（清洗）、白蜜四钱（冲）。

（九）淋浊

（1）王左，气阴两亏，湿热郁结膀胱，入夜溲勤，溺前作痛，两胯觉胀，势防膏淋，当补肾固气，止涩下焦。

麦冬二钱、黑料豆三钱、龙骨四钱（先煎）、甘草梢八分、芡实四钱、菟丝子二钱、车前子二钱、山药三钱、金樱子三钱、莲须一钱半、牛膝二钱。

（2）吴左，血淋延久，血块累累，溲时作痛，气坠，脉弦细，舌紫，心阳湿火下注，法当清降分化。

生军炭二钱、麦冬二钱、小蓟炭二钱、山栀二钱、牛膝二钱、蒲黄炭二钱、丹皮炭二钱、甘草八分、赤苓四钱、车前草三钱、灯心草十根、琥珀末八分，研末。

（3）夏左，劳淋数月，曾经带血，大腑坚结，脉弦细，舌红苔黄，当清心润肠，兼清余湿。

生地五钱、牛膝炭一钱半、甘草八分、瓜蒌四钱、泽泻三钱、海蛤粉四钱、麦冬三钱、黑料豆四钱、云苓三钱、薏苡仁五钱、菟丝子二钱、莲子十粒。

（4）苏左，肾阴不足，湿热下注，淋漓作痛，色黄如脓，法当清化。

麦冬二钱、甘草八分、车前子三钱、山栀二钱、正滑石五钱、木通一钱半、萆薢二钱、泽泻二钱、赤苓四钱、通草一钱、龙胆草一钱、灯心草十根。

（5）淋属肝胆，浊由心肾，淋浊茎如刀割刺痛，时或白浊，少腹作胀，神虚心烦，阴亏抑郁，湿热结闭膀胱，气虚不化所致，久延防成劳怯。

细生地四钱、牛膝三钱、乌药一钱、归须一钱、车前子三钱（包）、益智仁三钱、云苓三钱、远志三钱、萆薢二钱、甘草梢一钱半。

（十）癃闭

刘左，寒湿滞蕴结肠腑，二便秘结，通而不畅，少腹胀满作痛，呕恶痰涎，脉小数，舌苔黄腻。

冬葵子四钱、猪赤苓四钱（各）、六曲四钱、川楝子三钱、枳实二钱、车前子三钱、台乌药一钱、泽泻二钱、小青皮一钱半、山楂二钱、大腹皮二钱、滋肾丸三钱（包）。

另：豆豉四钱、黑山栀三钱，研末加青葱、食盐各少许，捣敷关元。

复诊：二便虽通，仍觉不畅，少腹胀痛，胸闷干恶，口渴引饮，头昏纳呆，脉小数，舌苔黄腻已化，寒湿滞凝结二阳，渐化热而不果，再为温运，佐以渗化。

生军三钱（后下）、肉桂四分、车前子三钱、冬葵子三钱、法半夏二钱、猪赤苓四钱（各）、大腹皮二钱、泽泻二钱、川连五分（茱萸四分拌）、台乌药一钱半、青陈皮一钱半（各）、枳壳二钱、通草一钱。

（十一）麻木

（1）杨右，左足发麻，步履筋吊牵掣，不红不肿，曾服用大活络丹二十余年未见效。或有头晕、鼻嗅觉失灵，有时失眠，胃纳正常，脉弦细小数，舌根白腻，气血不足，络脉失荣，法当养血益气，平肝化湿，最忌跌仆。

西当归二钱、豨莶草三钱、木瓜三钱、桑枝五钱、五加皮二钱、怀牛膝二钱、杜仲三钱、夜交藤四钱、苍耳子一钱、双钩藤四钱、炙地龙三钱、海桐皮三钱、丝瓜络三钱，另虎潜丸五粒。

复诊：药后睡眠较酣，左足麻木，步履则筋吊作痛作胀，二便通调，脉细数，舌中红根白，原法增入润阴。

西当归二钱、豨莶草三钱、木瓜三钱、桑枝寄生四钱（各）、五加皮三钱、牛膝二钱、杜仲三钱、龟甲六钱、双钩藤四钱、炙地龙三钱、丝瓜络三钱、虎潜丸三粒（吞）。

三诊，去双钩藤，加白术一钱、川断一钱，左足酸麻已有好转，仍步履不便，后改服健步虎潜丸合四妙丸。

（2）牛左，麻为气虚，木为血亏，左腿麻痹有年，并不作痛，有时失眠，饮食二便正常，风湿阻络，气血循环不畅，用丸代煎，缓益效果。

当归拈痛丸二两、玉竹膏八两。

（3）王左，气虚夹痰湿阻络，经脉气血运行受阻，右半身麻痹已久，气候变化更甚，酸痛连及两腿，头晕腹胀，脉缓迟，舌苔薄白，当益气养荣，化痰通络。

红参须二钱、橘皮络一钱半（各）、鸡血藤四钱、当归三钱、怀牛膝二钱、生熟黄芪一钱（各）、木瓜三钱、天麻一钱、杜仲四钱、千年健三钱、制半夏三钱、桂枝八分、豨莶草三钱、桑枝寄生四钱（各）、人参再造丸半粒（吞）。

复诊：右半身麻痹已减，腹胀，胃纳较差，大便干燥，夜寐不酣，早晨有痰，脉缓滑小数，舌苔淡黄，宗原法增益。

潞党参四钱、茅白术三钱（各）、橘皮络一钱半（各）、砂仁八分、牛膝三钱、半夏三钱、香橼皮四钱、生黄芪一钱、防风一钱、豨莶草三钱、炙甘草八分、丹参三钱、茯苓三钱、二芽二钱（各）、桑枝寄生四钱（各）。

三诊：胃纳大振，大便每日通畅，腹胀已退，右半身麻痹亦减，睡眠较佳，痰出亦爽，咽喉微痛，脉弦滑小数，舌苔淡黄，仍当补中益气，兼化痰湿。

潞党参四钱、炒茅白术三钱（各）、生黄芪三钱、茯苓三钱、炙甘草一钱、豨莶草二钱、法半夏三钱、橘皮络一钱半（各）、香橼皮四钱、薏苡仁四钱、桔梗一钱、怀牛膝二钱、桑枝寄生四钱（各）、丝瓜络三钱。

按： 药后右半身麻痹大减，此患者体丰气虚痰盛。《证治汇补》云："右半手足麻木者，责气虚与湿痰。"良此意也。经用补中益气汤合二陈汤加味症情显著改善。一年后又见发作，师谓其曰："两年内当防其中风。"

（十二）癫痫

（1）谢右，肥人多痰，痰阻气机，营卫乖违，癫痫常发，晚间为甚，行经更剧。三岁时曾患惊风，经事延期，量极少，偶有白带，经常咳痰，头晕伴痛，睡眠、饮食为常，脉沉滑常数，舌苔薄白，法当疏肝化痰，调和营卫。

紫丹参三钱、远志一钱半、制半夏三钱、陈橘皮一钱半、白蒺藜四钱、郁金二钱（矾水炒）、天麻八分、九节菖蒲八分、双钩藤四钱、香附三钱、合欢皮四钱、茺蔚子四钱、癫痫丸二两、马宝二钱。

（2）张童，始而呃吐自利，继之睡眠不宁，易于惊惕，嚎叫，手足舞蹈，日必数发，心胸懊憹不适，脉滑数，舌薄黄，夙痰夹浊积为患，拟息风化痰为先。

上黄连四分、天竺黄一钱半、橘皮络一钱（各）、远志一钱半、双钩藤三钱、九节菖蒲八分、连翘二钱、半夏二钱、天麻五分、灵磁石五钱、煅龙齿四钱、癫痫丸一钱（包）。

复诊：睡眠较宁，下午手足舞蹈嚎叫未发，状如常人，头痛心烦，大便每日通畅，仍当祛风化痰。

郁金一钱半（矾水炒）、天竺黄一钱半、橘皮络一钱（各）、半夏三钱、天麻七分、九节菖蒲八分、远志一钱半、双钩藤四钱、灵磁石六钱、薄荷七分、菊花一钱半、癫痫丸二钱（包）。

三诊：癫痫未发，下午手足舞蹈嚎叫亦平，唯易于发怒话多，食欲二便正常，脉弦细苔薄，当再祛风化痰，平肝潜阳。

陈胆星一钱半、天竺黄一钱半、制半夏二钱、橘皮络一钱半（各）、远志一钱半、双钩藤三钱、冬桑叶三钱、菊花三钱、九节菖蒲一钱半、灵磁石八钱、郁金一钱（矾水炒）、癫痫丸一钱（包）。

按：经治后癫痫未再发。

（3）穆右，今晨癫痫又发，时间较前为短，两至三分钟即醒，胸闷不舒，频频呃恶馊水痰涎，带下腰痛，脉细弦，苔薄腻，当疏肝和胃，舒气化痰。

炒柴胡一钱、制半夏三钱、陈橘皮一钱半、远志一钱半、香附三钱、炒枳壳二钱、黄郁金二钱、白蒺藜四钱、白豆蔻八分、砂仁一钱、茅苍术一钱、生姜二片、癫痫丸一两。

按：后服癫痫丸，观察年余未发。

附：小儿肝风。

（1）吴右，十一岁，今年以来，耳上角及颠顶作痛，痛甚则四肢抽搐，常因情绪不佳而诱发，饮食欠香，面色少华，曾经晕倒一次，脉细数，舌红苔黄，先天不足，肝失濡养，当润阴养肝，清络息风。

生石决明六钱、蝎尾四分（炙）、天麻六分、菊花二钱、双钩藤四钱、郁金一钱（矾水炒）、法半夏二钱、远志八分、磁石五钱、白蒺藜三钱、橘络八分、夜交藤四钱、癫痫丸一钱（吞）。

复诊：药后痰出较多，头痛手足抽搐，晚间举发，来势较轻，脉小滑，舌苔薄黄，肝风夹痰，当再平肝息风，化痰清脑。

羚羊角粉二分（吞）、生石决明六钱（先煎）、双钩藤四钱、橘络一钱、菊花二钱、白蒺藜三钱、郁金一钱（矾水炒）、陈胆星五分、法半夏二钱、天麻六分、远志八分、癫痫丸一钱（吞）。

三诊：进羚羊饮子，手足抽搐发时减轻，仍经常举发，头痛善哭，胸膺不舒，发时痰难出，精神失常，脉滑数，舌苔薄黄，风阳初潜，再化痰平肝。

珍珠母五钱、灵磁石五钱、双钩藤四钱、菊花二钱、远志一钱半、胆南星八分、郁金一钱（矾水炒）、合欢皮三钱、半夏二钱、橘皮络八分（各）、癫痫丸一两四钱。

按：药后举发次数减少，可保持一至二旬不发，次后常服原方巩固。

（2）爱右，九岁，头部左右摇摆，双肩、两眼皮、口角抽动，两手振颤，服羚羊息风剂获效。近来旧病复发，有时口歪足抽搐，胃纳平平，大便干燥，消化不强，脉弦滑，舌苔薄腻，拟息风清肝化痰为先。

羚羊角粉二分（吞）、蝎尾粉五厘（吞）、天麻八分、双钩藤四钱、生白芍二钱、何首乌三钱、牡蛎四钱、白蒺藜三钱、菊花炭二钱、竹沥半夏一钱半、橘皮络一钱（各）、干地龙一钱。

复诊：针药并施，头部摇摆，眼皮、口角抽搐，两目振颤已减，大便较爽，胃纳欠佳，仍当平肝润肠，养血祛风。

生石决明六钱、当归一钱半、黑芝麻四钱、灵磁石五钱（先煎）、天冬三钱、钩藤四钱、火麻仁四钱、蝎尾四分、杭菊花二钱、白蒺藜二钱、生何首乌四钱、枳实一钱半、全瓜蒌五钱。

三诊：两手振颤稳定，颈项仍摇动不定，夜寐欠宁，龂齿，大便日行，脉滑数，舌红苔薄黄，仍当息风平肝。

生石决明一两（先煎）、珍珠母五钱（先煎）、灵磁石六钱（先煎）、白蒺藜四钱、菊花炭二钱、橘络一钱、双钩藤四钱、蝎尾四分、防风一钱、益元散四钱（包）、连翘心三钱、莲子心四分、当归一钱半、丝瓜络三钱、癫痫丸一两四钱。

（3）李右，十一岁，二岁时脑海未满，撞伤跌倒，成为惊风，壮热即发抽搐，善于惊恐，近来呃吐酸水食物，脉小滑，舌苔薄黄，迄今十载，势无速效。

左金丸五分、青龙齿三钱（先煎）、大川芎五分、远志一钱半、菖蒲七分、双钩藤四两、橘皮一钱半、马宝粉一分（吞）、白蒺藜三钱、茯苓二钱、郁金一钱（矾水炒）、制半夏一钱半、枳实一钱、癫痫丸二钱（吞服）。

复诊：上药幸能安受，夜寐尚安，神志行动尚失常，大便干燥，易于惊恐，仍从惊风立法。

龙齿三钱、远志一钱半、辰茯苓三钱、半夏二钱、橘皮一钱半、菖蒲八分、左金丸六分、丹参三钱、白蒺藜三钱、双钩藤四钱、郁金一钱（矾水炒）、金戒指一只，煎汤代水。

（十三）脚气

王右，秋湿下注，两足红肿，火燎作痛，不良于行，势成脚气，曾经寒热呕吐，脉沉细，苔白，太阴健运失常，阳明通降失司，先当理湿下行，不致上冲入腹为吉。

苍术二钱、独活二钱、木瓜二钱、五加皮二钱、牛膝二钱、半夏二钱、木防己二钱、陈皮一钱、赤苓四钱、生薏苡仁五钱、丝瓜络三钱、桑枝五钱。

（十四）牙痛

（1）寒热退后，心肝之火上升，蛀牙拔之仍火燎作痛，四肢间或不和，脉弦细，舌红苔黄，拟玉女煎加味进之。

石斛四钱、生地五钱、牛膝三钱、麦冬二钱、云苓二钱、石膏五钱（先煎）、知母二钱、元参四钱、连翘四钱、青盐五分（冲入）、骨碎补四钱、甘草五分。

按：治牙痛久久无效，贺师原方不动，仅加青盐、骨碎补，药到病除，至此，牙痛多用之，每之获效。

（2）施左，牙痛旬余，牙龈肿痛，口渴，头晕，脉滑数，舌红少苔，取玉女煎加味。

大生地五钱、生石膏五钱、玄参四钱、知母三钱、石斛三钱、黄芩二钱、赤芍二钱、生甘草一钱、骨碎补四钱、青盐五分（冲）。

（十五）梅毒

（1）淋浊止后，湿毒未清，肾囊破腐流脂，音嘶咽燥，鼻端疙瘩累累，当清降泄化。

生军二钱（后下）、牛蒡子二钱（炒）、赤苓芍二钱（各）、金银花四钱、丝瓜络二钱、桔梗二钱、蝉衣一钱、车前子二钱、连翘四钱、白梗通二钱、木蝴蝶一钱、竹茹二钱、芦根一两。

（2）孙右，湿毒传染而来，前阴红肿作痒，脉弦数，苔黄，法当下夺。

生军三钱（后下）、黄柏二钱、金银花四钱、赤芍二钱、泽泻二钱、丝瓜络二钱、生地五钱、赤苓四钱、牡丹皮一钱半、连翘四钱、薏苡仁五钱、地肤子三钱。

（十六）损伤

董童，由高处跌下后遍体肢肿，夜间发热，呛咳，脉小数，舌红根黄，瘀结经络，延防止血。

参三七五分（研末冲）、桃仁三钱、川断二钱、竹茹一钱半、瓦楞五钱、自然铜四钱（醋炒）、旋覆花三钱（包）、赤芍二钱、丝瓜络三钱、油松节三钱。

四、胎前类

（1）贺右，怀麟四月子淋，小溲勤急，劳则子宫突出，带下甚多，腰面酸痛，脉弦滑，舌红苔黄，口渴善烦，血热肝旺，心阳夹湿热下趋肠腑使然，清养为先。

北沙参三钱、当归二钱、子芩一钱半、升麻八分、牡蛎五钱（先煎）、乌贼骨三钱、麦冬二钱、生地二钱、甘草八分、云苓二钱、桑寄生四钱、鲜藕二两。

（2）王右，怀麟八月，心肝失于涵养，化为虚阳内扰，胸膺懊侬，莫可名状，心荡少寐，食入觉胀，面浮颈肿，或泛酸水，脉弦滑，舌红，最防子痫，亟当柔降。

生牡蛎五钱（先煎）、白术三钱、旋覆花二钱（包）、杜仲三钱、白芍二钱、乌梅一钱半、麦冬二钱、白蒺藜四钱、子芩二钱、竹茹一钱半、金橘皮二钱。

（3）王右，分娩在即，风寒交阻心肝之络，头痛起见，继之呕吐痰涎食物，今则神志昏糊，口噤不语，两手足抽搐，脉滑数，苔白，势防痉厥，证属险要。

天麻八分、郁金二钱、橘皮络一钱（各）、双钩藤三钱（后下）、天竺黄一钱半、旋覆花二钱（包）、远志一钱半、竹沥半夏二钱、六曲四钱、云苓神四钱（各）、佛手八分、九节蒲一钱半。

另：苏合香丸一粒，双钩藤、菖蒲煎汤化服。又乌梅肉擦牙。

（4）某右，怀孕九月，猝然伸舌不语，手足抽搐，肢颤肉瞤，羊胞已破，兼且流脂，脉沉细，舌红苔黄，此子痫也，势甚险要，亟拟八珍汤加味。

党参三钱、白术二钱、砂仁一钱、熟地四钱、新会皮白一钱半、云苓神二钱（各）、炙黄芪三钱、当归二钱、川芎八分、佛手八分、煨姜一片、炙甘草八分。

（5）贺右，子痫猝然而起，痰鸣如锯，手足抽搐，口㖞，不省人事，小水自遗，右脉模糊不清，舌红苔黄，气郁化风，鼓动痰浊，交蒙经络，证势极险，息风化痰，开启神明为先。

羚羊角粉五分（冲）、远志二钱、云神四钱、乌梅二钱、双钩藤三钱（后下）、天麻八分、竹沥半夏二钱、白蒺藜四钱、杭菊炭二钱、竹茹一钱半、九节蒲二钱。

五、产后类

（1）李右，产后三朝，下利日夜无度，腹痛里急，胸痞纳呆，恶露不行，脉沉细，舌红苔黄，气血两伤，胃肠寒湿滞，羁结不化。

当归二钱、炮姜八分、桃仁一钱、焦白术二钱、白芍二钱（茱萸五分拌）、新会皮白二钱、炙甘草七分、川芎一钱、云苓二钱、山楂炭二钱、木香一钱、砂仁八分、煨姜两片、红枣三个。

（2）王右，小产后腹胀有形，面红如妆，兼起席痱子，烦扰则胸膺不安，心荡失寐，脉沉细，苔白中黄，血分本热，肝阳上升，气瘀湿搏结于下也。

当归二钱、川楝子二钱、赤芍二钱、牡丹皮一钱半、赤芍二钱、泽泻二钱、丹参三钱、女贞子四钱、白蒺藜四钱、香附二钱、山楂三钱、鲜藕二两。

（3）张右，产后八朝，恶露畅行，小水不通，少腹膨胀作痛，寒热迭作，有汗不解，口渴作恶，脉细数，舌苔黄腻中红，气血两伤，膀胱气化失职，清荣达邪，兼利水道。

荆芥炭二钱、车前子四钱、当归二钱、甘草梢一钱、川楝子二钱、香白薇三钱、上肉桂四分、猪云苓三钱（各）、赤芍二钱、血珀四分，研末过口。

另：豆豉四钱、山栀二钱，研末加食盐一匙、青葱一握同捣饼贴脐下。

复诊：产后九朝，荣卫两亏，膀胱气化不及州都，小水不通，小腹急胀作痛，恶露畅行，大腑溏薄，或寒或热，口渴作恶，脉弦细，带数，苔白腻，拟用前法更进一步。

当归二钱、冬葵子二钱、青陈皮一钱半（各）、川楝子二钱、赤芍二钱、白薇二钱、上肉桂八分、猪茯苓四钱（各）、车前子四钱、白蔻一钱半、甘草梢一钱、血珀末三分，过口。

（4）邵右，产后十二朝，壮热无汗，胸膺痞闷不舒，日夜呓语，鼻塞微咳，便秘口渴，恶露化为白带甚多，脉弦数，舌苔薄白，虚实夹杂，证势未定。

鲜豆豉四钱、鲜生地一两、鲜石斛三钱、白薇三钱、瓜蒌皮三钱、云苓神二钱（各）、牡丹皮二钱、薄荷一钱、柴胡一钱、枳壳二钱、鲜藕一两。

（5）邵右，胎前壮热，早轻暮剧，产后热度不清，梦呓，恶露不多，大便未行，脉弦数，舌苔灰黄，中红绛，刻值产后五日矣，即书所谓郁冒、大便难也。

白薇二钱、生熟军二钱（各）、鲜生地一两、炙甘草一钱、焦山楂二钱、玄明粉二钱（冲）、荆芥一钱、桃仁二钱、豆豉五钱、云苓神四钱（各）、牡丹皮二钱、鲜藕二两。

（6）毛右，产后忧虑，肝脾受伤，呛咳作恶，白带淋漓，纳呆食少，脉弦细，舌红根黄。

南沙参三钱、旋覆花二钱（包）、冬瓜子二钱、云苓二钱、谷芽四钱、新会皮白一钱半、当归二钱、川贝一钱半、白芍二钱、金橘皮四个、枇杷叶二钱。

（7）王右，病中生产，产后大汗淋漓，四肢厥冷，气喘神萎，两脉沉伏，症象极险，勉拟一方，以尽人事，而避无本。

党参二钱、熟地四钱、当归二钱、白芍二钱、云苓二钱、白术三钱、黄芪三钱、川芎八分、桂枝八分、炙甘草一钱、煨姜两片。

按： 忆昔年师母难产，诸法不效，吾师将十全大补汤置床前，浓煎热气，俾产妇由鼻孔熏入，后再以浓汁进之，未及一时即产一儿，可见胎前宜气血足也，所谓水满则舟自行也乎。

第四章 《丹方集》遗稿

本篇资料来源于舅家丹阳名医魏东莱医师。魏老喜采民间单方，著有《丹方集》，汇有验方数千则，活人无数。惜毁于“文化大革命”。现存者大都经我家三代用于临床，并取得一定疗效。连同自家验方，符合廉、便、验三原则者，悉搜入稿，分门别类，可供临床参考。亦鲁志。

一、感冒、流感

（一）发作期

（1）棉花籽一撮，炒黄捣破，用黄酒适量煮沸，每次服一小杯，一日三次，汗出即愈。

（2）陈细茶三钱，葱白三支，生姜两片，水煎热服。

（3）香豆豉二钱，葱白三茎，白芷三钱，生甘草一钱，生姜三片，红枣三枚，水两碗，煎服取汗，不汗可再服。

（4）蒲公英五钱，羌活三钱，水煎服。

（5）麻黄二钱，桂枝二钱，杏仁三钱，贯众三钱，柴胡三钱，淡竹叶三钱，水煎服。

（二）预防期

（1）雄黄，水磨涂鼻孔，一日一次。

（2）贯众浸水做饮料，每日一小杯，一日二至三次。

（3）生、熟大蒜瓣各七枚，共食之，一日一次。

二、痢疾

（一）红白痢疾

（1）扁豆花二两（红痢用白花，白痢用红花，红白痢各半）煎汤，入红糖一两、生姜汁五匙，热服。

（2）萝卜缨二两，捣汁加入赤砂糖少许，空腹温服。

（3）马齿苋一两，车前草一两，生姜三钱，煎汤，红痢加白糖，白痢加红糖，温服。

（4）痢疾散。适用于赤白痢、噤口痢、水泻等证。生熟军各二两，杏仁霜（去油、节）四两，川乌（去皮、面裹煨）三钱，苍术（米泔水浸，陈土炒焦）六两，羌活六两（炒），生甘草三钱，共研末，每服五分，赤痢用灯心草三尺煎汤饮下，白痢用生姜三片煎汤送下，赤白痢、噤口痢则灯心草、生姜并用，水泻用米汤送下，孕妇忌服，小儿减半。此方曾在乡里施送，疗效甚好。

（二）血痢

（1）乌梅去核，烧灰为末，每服二钱，米汤下。

（2）木贼草五钱，水煎服，一日两次。

（三）寒痢

生姜三钱，陈茶叶五钱，煎汤，入醋少许，空腹服下。

（四）久痢

（1）龙眼肉七个，莲子七粒，白糖三钱，陈细茶末三钱，臭椿根皮三寸，水煎服。

（2）石榴一个，煅研末，另以石榴皮三钱，煎汤送下。

（3）臭椿根皮一两，水漂去外面黄皮，焙干为末，加木香二钱，同研，用糯米饭为丸，每服二钱，米汤送下。

（五）休息痢

狗骨，炙黄为末，每服一钱，米汤送下，一日两次。

（六）噤口痢

（1）糯稻一升，炒出白花后去壳，再用姜汁适量拌湿，炙干为末，每服一匙。

（2）赤砂糖四两，生姜四两，乌梅十五个，三味共捣烂，以开水调匀服。兼治反胃。

三、急性肝炎

（一）预防方

马鞭草一两，甘草一钱，饭后服一剂。

（二）急性黄疸型肝炎

（1）夏枯草二两，大枣二两，水煎服。

（2）生明矾打成小块，以干豆腐皮包之，空腹开水送下，第一天用矾一分，第二天用矾二分，按日逐渐加至第七天为止。

（3）绿豆一升，煎汤浴之，一日一次。

（4）薏苡根二两，水煎服。

（5）青壳鸭蛋敲一小孔，纳朴硝约四分于孔内，外用白纸封住，炖熟日服一个。

（6）绿矾四两（煅成赤珠子），当归四两（酒浸七天），焙百草霜三钱，共为末，以浸当归之剩酒打糊为丸，每服三钱，温水送下。

四、疟疾

（一）三日疟

鲜何首乌五两打碎，甘葛二两，甘草一两，细茶一两，河水、井水共煎，清晨服下。

（二）小儿疟

丁香、甘草各三分，乌梅、槟榔各半个，水煎服。

（三）久疟不止

（1）常山二两，红枣二十个，共水煎，取红枣连汤服下。

（2）当归二钱，鳖甲二钱 ，知母二钱，何首乌五钱，黑料豆三钱，桃树枝三钱，水煎服。

（3）何首乌六钱，青皮四钱，柴胡三钱，陈皮二钱，甘草一钱，水酒各半共煎服。

五、蛔虫病

（1）皂矾五钱，入白馒头内火煅，以矾红为度，去馒头不用，取矾研末，每服五分，黄酒送下，亦治钩虫病。

（2）苦楝树根白皮三钱，水煎服。

（3）乌梅三个，川椒十四个，水煎服。

（4）芝麻一两，拌雄黄末三分，炒熟服，连服半月。

（5）生榧子二十粒，蘸赤砂糖服，一日一次。

六、蛲虫病

（1）石榴根皮适量煎水，再以此水煮米粥，任意食之。

（2）马齿苋一两，水煮一碗，入盐醋少许，空腹服。

（3）槟榔、雷丸各三钱，研末，分三日服完。

七、钩虫病

（1）皂矾二两，花椒三两，红枣一斤，馒头面三合，并捣细，醋丸，如胡椒大。每服二十五丸，空腹姜汤下，忌鲜鱼、鸡蛋及生冷之物。

（2）针砂（醋煅三次）一斤，醋煅皂矾一钱，当归四钱，丹参三钱，苍术、香附各二钱。共研末，红枣六钱煎水泛丸，如梧桐子大，每服二钱。忌茶。

（3）使君子、鹤虱、川楝肉、槟榔、绿色贯众各三钱，粉甘草一钱半，水煎两次，分别于临睡前及次晨服下。此方亦治蛔虫病。

八、肺结核

（1）七子养母丸。治肺结核咳嗽，痰多，气急，声嗄。生诃子、苏子、五味子、榧子、冬瓜子、川贝母各一两，罂粟壳、莱菔子各五钱，共研末，炼蜜为丸，早晚各服一钱。

（2）空洞性肺结核方。川百合一枚，每瓣中置白占一粒（如黄豆般大），入罐内煨熟，稍加白砂糖，连百合及汤同服。

（3）肺结核虚热。青蒿子入童便三日，晒干为末，每服二钱，乌梅一个煎汤送下。

（4）肺结核盗汗。蜜炙黄芪四钱，黑料豆四钱，浮小麦五钱，水煎服。

九、麻疹

（一）麻疹密布，内热甚重

（1）绿豆汤频饮。

（2）大蚯蚓一条捣烂，金银花露浸半小时后代茶饮。

（二）麻疹不透

樱桃核捣碎，西河柳、葱白各等份，水煎服。

附：消灭臭虫方

苍术一斤，雄黄、木鳖子各二两五钱，研细末，水泛丸，如弹子大，用时将一丸置木屑或艾条上蒸之，数日即尽。

十、咳嗽

（一）咳嗽痰多

梨汁一杯，姜汁、蜜各半杯，薄荷末二钱和匀，开水冲饮，一日三次。

（二）久咳不止

（1）紫菀、款冬花各二两，百部五钱，共为末，用乌梅一个、姜三片煎汤调下二钱，一日二次。

（2）款冬花、煅鹅管石各五钱，陈皮二钱半，共为末，分成七包，每晚开水送下一包。

（3）人乳大半杯，甜梨汁半杯，共炖热服。

十一、哮喘

（1）鸡蛋一枚，顶开一孔，入人中白末三厘，调匀后纸糊，煨熟食之。

（2）白鸡冠花（经霜打者良）焙干为末，黄酒送下三钱。

（3）定喘丸。豆豉一钱，白砒一分（豆腐煮透），二味研末为丸，如梧桐子大，每服七粒，以冷水送下。

十二、肺痈

（1）鲜夜合花树白皮（六七月间采之）一两，煎汤频饮。

（2）多年陈芥菜露，日饮一杯。

（3）虎耳草汁小半杯，冲入白酒浆适量，露一宿，空腹服下。

十三、胃痛

（1）姜桂丸。适用于因寒引起的胃痛、腹痛。干姜一两，肉桂、御米壳各五钱，共研末，以饭为丸，如梧桐子大，每服七八粒，开水送下。

（2）沉香、猪牙皂各三分，木香二分半，胡椒二分，全蝎半厘，朱砂四分，共研末，痛时以姜汤送下。

（3）陈香橼烧灰存性，每服二钱，酒送下。

（4）胃痛而呕者。明矾五分，研细末，温酒和服。

（5）胃痛而不呕者。当归五钱，焙研末，温酒和服。

十四、噎膈

（一）噎膈初起

（1）生姜一斤，童便浸七天，再在土内埋七天，晒干为末，土炒白术一两，研末，和匀泛丸，空腹米汤送下一钱。

（2）韭汁、梨汁、姜汁、人乳各等量，蒸热空腹下。

（二）噎膈中后期

（1）大黄（酒制九次）二钱，上沉香六钱，桃仁（泡去皮尖，研去油）六钱，硼砂三分，台乌药（水煮、炒）一钱，共研极细末，每服三分，五更时舌上舔津送药下。

（2）大鲫鱼一条，去肠留鳞，鱼腹内填入苍术四钱，皂矾二钱，泥封烧存性，研末，每次粥汤送下一钱。

（3）大鲫鱼一条，去肠留鳞，大蒜切细，填满鱼腹，纸包泥封烧存性，研成细末，每服一钱，米汤送下。

十五、泄泻

（1）车前子炒为末，米汤调下二钱。

（2）陈艾三钱，生姜一块，水煎服。

（3）炒白术、茯苓各一两，陈糯米（炒）二两，共为末，每服二钱，枣肉拌食，一日二次。

十六、臌胀

（1）雄猪头一个，入槟榔末一钱，牵牛末一钱，砂仁末五分，葱、蒜头适量，塞满为度，以线扎口，入瓷罐内加酒煮烂，取蒜头及酒食之，药后可矢气，利下黄水，如无黄水利下，可再饮高良姜汁一小杯，后以健脾药收功。

（2）西瓜一个，顶上切去一片，以大蒜六两去皮塞入，原顶盖之，用糠火煨熟，取大蒜食之。

（3）鲤鱼一条，以赤小豆填满鱼腹煮熟，连汤食之。

（4）乌鱼一条，剖去肠，入皮硝二两，外用厚绵纸包数层，再以熟黄泥裹之，糠火煨一宿，去泥食之，并将鱼骨焙末，米糊丸，酒送下，忌盐酱百日。

（5）葶苈子四两，炒为末，枣肉为丸，桑皮五钱煎汤送下，每服一钱，一日三次。

（6）萝卜子、砂仁等份研末，每服一钱。适用于气臌胀。

十七、痞块

（1）消痞膏。治脾大。密陀僧三两，阿魏二钱半，羌活五钱，水红花子一钱半，麝香五分，麻油半斤，熬膏摊贴患处，或共研末，后加麻油与葱调敷患处，一日一换。

（2）青黛二两，明雄黄一两，研细末，每服三钱，酒送下。

（3）麝香一分，红枣十个，独头蒜十个，同捣烂，青布包，不时按摩患处。

（4）生大黄、樟脑各等份，共为末，用独头蒜同捣烂，摊青布上贴患处，一日一换。

十八、二便不通

（一）小便不通

（1）活田螺捣碎，盐一匙，麝香五厘，调涂脐下。

（2）萵苣子适量，捣饼贴脐中。

（3）淡豆豉、黑山栀各三钱，共研末，加葱一握，盐半匙，生姜二片，加水共捣烂，和匀外敷关元穴。

（4）蔓荆子三钱，研细末，分三次开水送下。

（二）大便秘结

牛角通便丸。治成人习惯性便秘及由饮食不慎而致的大便秘结。牛蒡子、川皂角一两，熬膏为丸，如梧桐子大，每服各七粒，开水送服，预防剂量为每服三粒，一日一次。

十九、中风

（一）中风痰厥

（1）白矾一两，猪牙皂五钱，共为末，温水服一钱，吐出痰效。

（2）胆矾一钱，木香一钱，共为末，葱汁调服。

（二）中风牙关紧闭

（1）生半夏末适量，吹鼻取嚏。

（2）白矾、盐花各等份，擦牙，涎出即开。

（三）中风卒中不语

白芥子适量，用醋煮之，捣烂敷颈一周，帛包一昼夜。

（四）中风瘫痪

秋后水红花连苗、花、实适量，煎浓汁趁热熏洗，一日二至三次，另用热酒和水红花之汁（无鲜者可用干者煎汁）频饮。

（五）口眼㖞斜

（1）大皂角五两，去皮、子为末，陈醋调敷，右㖞涂左，左㖞涂右，干则换之。

（2）鳝鱼一条，用竹片夹之，用针深刺尾，使血流在纱布上，趁热贴之，㖞左贴右，㖞右贴左。

（3）木鳖子炙灰，陈醋调敷耳下一厘米处，㖞左敷右，㖞右敷左。

二十、痹证

（一）全身关节疼痛

（1）痛痹丸。适用于诸风拘急，遍体游走疼痛者。当归三两，全蝎、地龙、生川乌、桃仁、羌活各二两，蜈蚣、乳香、没药、蜂房、白芷、红花各一两，甘草节一钱半，共研细末，老鹳草五两，桂枝一两，威灵仙三两，煎汤代水，制丸如绿豆大，青黛为衣，空腹盐汤送下，每日二次，每次一钱至一钱半。

（2）趁痛散。适用于肢节刺痛、瘀血痹阻筋骨者。桃仁、红花、当归、地龙、五灵脂、牛膝、羌活、甘草、乳香、没药、香附各二钱，共研细末，酒送下二钱。

（二）手足麻木

（1）樟木、艾叶、花椒、生姜、土牛膝、萝卜缨各适量，共入砂锅内水煎，先将患处熏蒸，待温后外洗。

（2）桑枝二两，炒香后煎汤频饮。

（3）独活、羌活、松节各二钱，酒煮，每日空腹服一次。

（4）刺蔷薇根三钱，五加皮、木瓜、当归、茯苓各二钱共水煎，加酒少许饮之。

（5）将铲下的驴蹄甲煅研为末，面糊为丸，每服三钱，一日一次，黄酒送下。

（三）下肢风湿痛

（1）艾叶二两，葱白十支，生姜一两，共捣烂，用布包蘸热酒搽患处。

（2）白芥子（炒研）一两，广胶一两，先用老姜汁一碗，陈醋一两共煎，后入广胶化开，再入白芥子末，摊布上贴患处。

（3）白凤仙花四两，浸烧酒一斤，每次一小杯。

（4）油松节、晚蚕沙各等份，浸酒常饮。

（5）凤仙花、苍耳草适量，捣烂，煎汤外洗。

（四）腰膝痛

（1）何首乌、牛膝各半斤，黄酒一斤，浸七宿，曝干，研末，枣肉打烂制丸，每日空腹服下三钱。

（2）杜仲（盐水炒）、补骨脂（盐水炒）各一两，肉桂五钱，共研末，每服二钱，酒送下。

（3）猪腰子一枚，破开，入杜仲末三钱、大茴香末一钱、青盐少许，湿荷叶包，煨熟，黄酒送下。

二十一、头痛

（一）风寒头痛

太阳丹：制川乌、天南星各一钱半，研末用连须葱白捣烂，调贴太阳穴。

（二）头风

（1）细辛一钱，白芷二钱，冰片五分，研末，每次吞服五分，开水送下。

（2）茶子三钱，研细末，用少许吹鼻中，一日两次。

（3）大蜈蚣一条，置艾条上，以火燃艾条，令患者坐嗅其气，鼻流黄水即愈。

（4）鹅不食草适量，捣烂塞鼻孔内。

（5）酒洗白芷研末，茶下二钱，荆芥汤送下尤佳。

（6）生白萝卜汁滴鼻。

（7）天南星、川芎等份为末，以葱白捣饼贴太阳穴。

（8）藁本、细辛各五分，白芷一钱，辛夷八分，共为研末，分作四份，每份用纸卷燃之熏鼻。

（9）细茶、芝麻秆各二钱，白果二十枚，水煎服。

（三）偏头痛

（1）全蝎粉三分，天麻粉二分，开水送下。

（2）生川草乌、熟川草乌各一钱，炒僵蚕、香白芷各六钱，生甘草三钱，共研细末，用淡茶叶汤调服一钱，一日三次。

二十二、癫痫

（1）癫痫丸。琥珀五钱，远志一两，九节菖蒲一两，川贝母八钱，胆南星一两半，制半夏一两半，橘皮一两，矾水炒郁金一两半，炒僵蚕一两半，天竺黄一两半，全瓜蒌三两，明天麻一两半，钩藤五两，炒竹茹三两。以上药物研末泛丸，每日服三钱，分两次服，小儿减半。

（2）山慈姑三个，黄酒研如泥，中午以茶水调服，得吐最佳，不吐可再服之。

（3）猪心一个，不要去血，甘遂末三钱装入猪心内缚好，纸包煨熟后取出，再入朱砂一钱，分为四服，以猪心煎汤送下，能得便下黑垢最好，不便可再服。

二十三、疝气

（1）黑丑二两（与硫黄末五钱同炒），炒橘核二两，大茴香五钱，吴茱萸五钱，延胡索五钱，共为末，空腹服用三钱。

（2）小茴香、大茴香各一两，猪脬一具，入药扎紧，煮烂捣丸，如梧桐子大，每日空腹服五十丸。

（3）花椒子四两，青、陈皮各二两，荔枝核（炒）一百粒，硫黄二两二钱半，用烧酒一斤化开硫黄，再将上药拌晒，研为末，酒泛为丸，每日空腹服三钱，开水送下。

（4）生鹅蛋壳一个，荔枝核十个，炙炭存性，共研末，用黄酒冲服二钱。如为预防，清晨盐开水送下一钱。

二十四、出血

（一）吐血

（1）藕汁、陈墨汁冲匀服之。

（2）干荷叶蒂二十四个烧存性，炒黑蒲黄、郁金各五钱，白丝线灰一钱，共研末，分次以茅根汁调服。

（3）梨汁、白萝卜汁、人乳、童便、十大功劳叶各一碗，浸入黑料豆二升同煮，晒干，每用三钱，蒸烂服。

（4）白茅花一两，豆腐一块共煎，饮汤，日服一次。

（5）鲜生地二两捣汁，加入生大黄末三钱，调匀空腹服下。

（6）侧柏叶、旱莲草、小蓟炭各一两，共研末，每服二钱，开水送下。

（7）鲜生地捣汁一碗（或用干者一两煎汤半碗），调三七末三钱、炮姜炭末五分，顿服。

（8）甘蔗汁、藕汁、芦根汁、白果汁、白萝卜汁、梨汁、西瓜汁、荷叶汁各适量和匀，隔水炖热，不住缓缓灌服。

（9）丹参，饭锅蒸熟，泡汤代茶饮之。

（二）尿血

（1）血余炭二钱，每天以米汤加醋少许送下，或茅根、车前子煎汤送下，连服七天。

（2）鲜旱莲草、鲜车前草各等份捣汁，空腹服一杯。

（3）白茅根三两，煎汤频服。

（4）荷叶蒂七个，烧炭存性，酒送下。

（三）便血

（1）血余炭五钱，炒侧柏叶、鸡冠花各一两，共为末，每服二钱，黄酒送下。

（2）槐花焙干研细末，每服二钱，空腹以白蜜调服。

（3）炒槐花、炒侧柏叶、陈棕炭各等份为末，空腹服下。

（4）荆芥穗二两，槐花一两，同炒为末，每日服三钱，开水送下。

（5）何首乌末，食前米汤送下二钱，一日二次。

（6）木馒头烧存性，棕榈皮烧存性，乌梅去核，炙甘草各等份为末，每服二钱，水煎服。

（7）将人中白（水中浸漂两月以上）放在瓦上用生炭火煅两小时为度，研细末，每服五钱，用赤砂糖三钱、黄酒半杯调和空腹下，连服三天。

二十五、产后缺乳

下乳天浆散：炮甲片三钱，王不留行三钱，当归三钱，白通草三钱，大川芎一钱半，香白芷一钱，生黄芪三钱，浙贝母三钱，炙甘草五分，七星猪蹄一只，煎汁代水。

二十六、外伤出血

铁扇散：主治跌碰撞伤，皮肉破损，流血不止。象皮（焙黄切碎）、白龙骨、白胶香各四钱，陈石灰、松香、枯矾各四钱，研至极细末，搽伤口，外加绷带包紧。此方较世传者多白胶香四钱，功能收敛创口，促进血管吻合，使凝血时间缩短。在乡村僻野之地，可推广应用，搽创口，外加绷带扎好，血可立止。

二十七、诸毒伤

（一）解河豚毒

（1）麻油灌之取吐。

（2）芦根汁、金汁各适量，和匀服下。

（二）解蟹毒

蒜汁、黑豆汁、紫苏汁，任选一种，急灌之。

（三）解酒

白萝卜汁灌之。

（四）解砒毒

（1）黄占四两，削泥入铁锅，用水四碗煎至两碗，待冷灌下。

（2）绿豆粉二两，鸡子清五个和匀，一次服下。

（五）解诸药毒

蚕蜕，纸烧灰存性，研细末，每以一钱，冷水调下，一日三次。

（六）解诸虫伤

（1）乌鸡翎烧灰，鸡子清调敷。

（2）姜汁洗患处，明矾、雄黄为末搽之。

（3）鲜扁豆叶，捣烂外敷。

（4）刺鸡冠血外搽。

（5）鲜瓦花，捣烂外敷。

（七）其他

（1）解蚂蟥毒。多服蜜即愈。

（2）误服桐油吐不止。急饮热酒一杯即解。

（3）误吞针。蚕豆煮熟同韭菜共食，针随大便出。

（4）误吞铜钱。多服荸荠。

（5）误吞金属。凤仙子或凤仙根适量捣汁服。